COMBATE ESPIRITUAL
NO DIA A DIA

PE. REGINALDO MANZOTTI

COMBATE ESPIRITUAL
NO DIA A DIA

petra

© 2018 by Pe. Reginaldo Manzotti

Direitos de edição da obra em língua portuguesa no Brasil adquiridos pela PETRA EDITORIAL LTDA. Todos os direitos reservados. Nenhuma parte desta obra pode ser apropriada e estocada em sistema de banco de dados ou processo similar, em qualquer forma ou meio, seja eletrônico, de fotocópia, gravação etc., sem a permissão do detentor do copirraite.

PETRA EDITORA
Rua Candelária, 60 — 7º andar — Centro — 20091-020
Rio de Janeiro — RJ — Brasil
Tel.: (21) 3882-8200 — Fax: (21) 3882-8212/8313

CIP-BRASIL. CATALOGAÇÃO NA PUBLICAÇÃO
SINDICATO NACIONAL DOS EDITORES DE LIVROS, RJ

M235c

Manzotti, Reginaldo
 Combate espiritual: no dia a dia / Reginaldo Manzotti. - 2. ed. - Rio de Janeiro: Petra, 2018.
 200 p.
 ISBN: 9788582781104

 1. Bíblia - Estudo e ensino 2. Ensino religioso 3. Catolicismo. I. Título.

18-47323 CDD: 220.6
          CDU: 27-276

Agradecimento

"Quem recebe um profeta, por ser profeta, receberá a recompensa de profeta" (Mt 10, 41).

Com a mais alta estima e o reconhecimento, agradeço a colaboração preciosa do meu irmão Frei Clodovis Boff, que, mesmo distante em um novo e significativo desafio pastoral, se dispôs com cuidado e zelo de mestre a partilhar seu grande conhecimento na revisão deste livro.

Pe. Reginaldo Manzotti

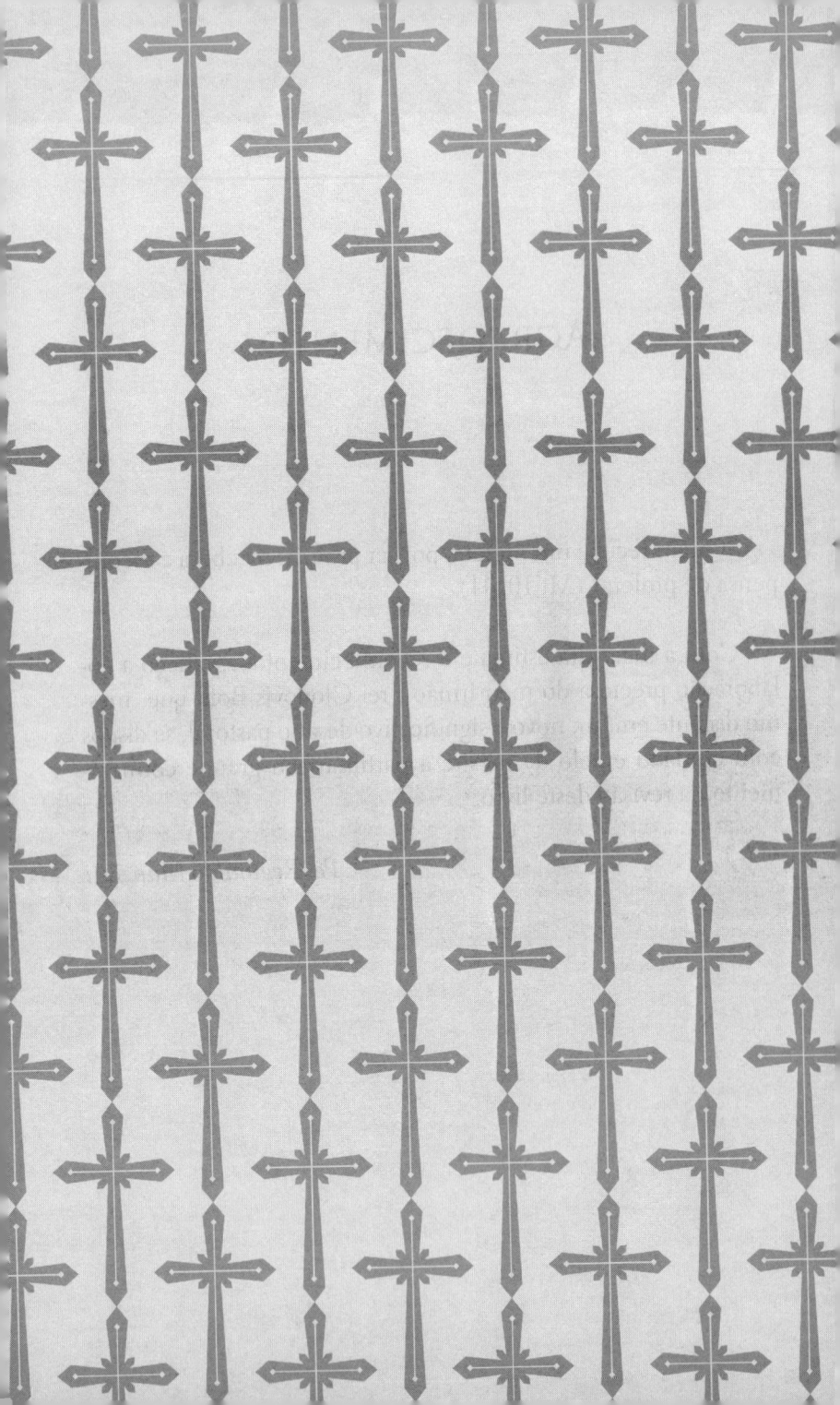

Sumário

Introdução 9

Capítulo 1
Vencendo o combate no casamento 15

Capítulo 2
Vencendo o combate na educação dos filhos 39

Capítulo 3
Vencendo o combate no ambiente de trabalho 53

Capítulo 4
Vencendo o combate no namoro 67

Capítulo 5
Vencendo o combate nas crises financeiras 77

Capítulo 6
Vencendo o combate nas perdas 89

CAPÍTULO 7
Vencendo o combate na nossa mente: para se libertar da
insegurança e do medo 103

CAPÍTULO 8
Vencendo o combate na nossa mente: para se libertar
dos vícios 115

CAPÍTULO 9
Vencendo o combate na nossa mente: para se libertar do
pensamento suicida 129

CAPÍTULO 10
Vencendo o combate na nossa mente: para se libertar do
individualismo e do consumismo 141

CAPÍTULO 11
Vencendo o combate na nossa fé: para se libertar da revolta
contra Deus 153

CAPÍTULO 12
Vencendo o combate na nossa fé: para se libertar do ateísmo e
da incredulidade 165

CAPÍTULO 13
Vencendo o combate na nossa fé: para se libertar das falsas
profecias 181

CONCLUSÃO 193

REFERÊNCIAS BIBLIOGRÁFICAS 197

Introdução

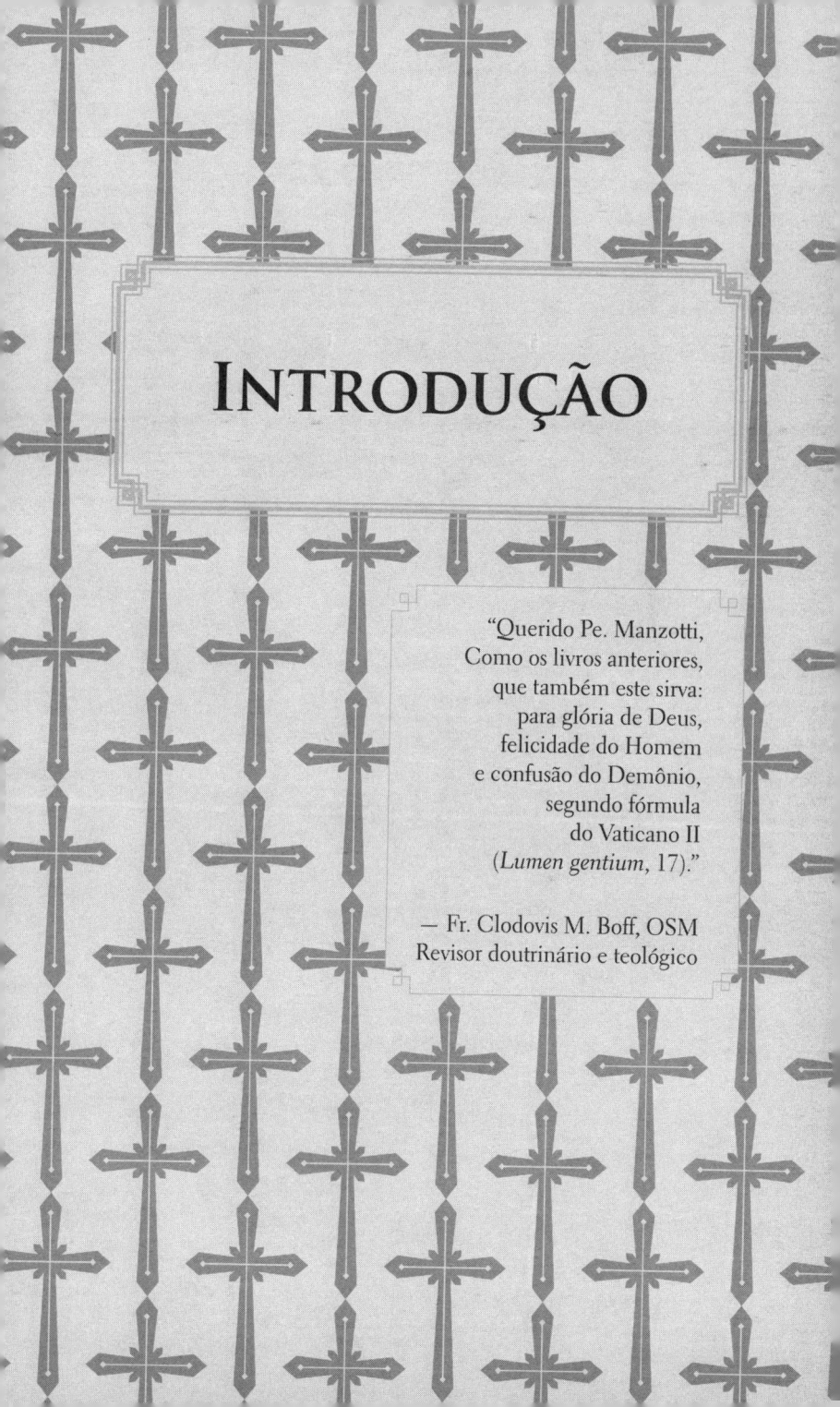

"Querido Pe. Manzotti,
Como os livros anteriores,
que também este sirva:
para glória de Deus,
felicidade do Homem
e confusão do Demônio,
segundo fórmula
do Vaticano II
(*Lumen gentium*, 17)."

— Fr. Clodovis M. Boff, OSM
Revisor doutrinário e teológico

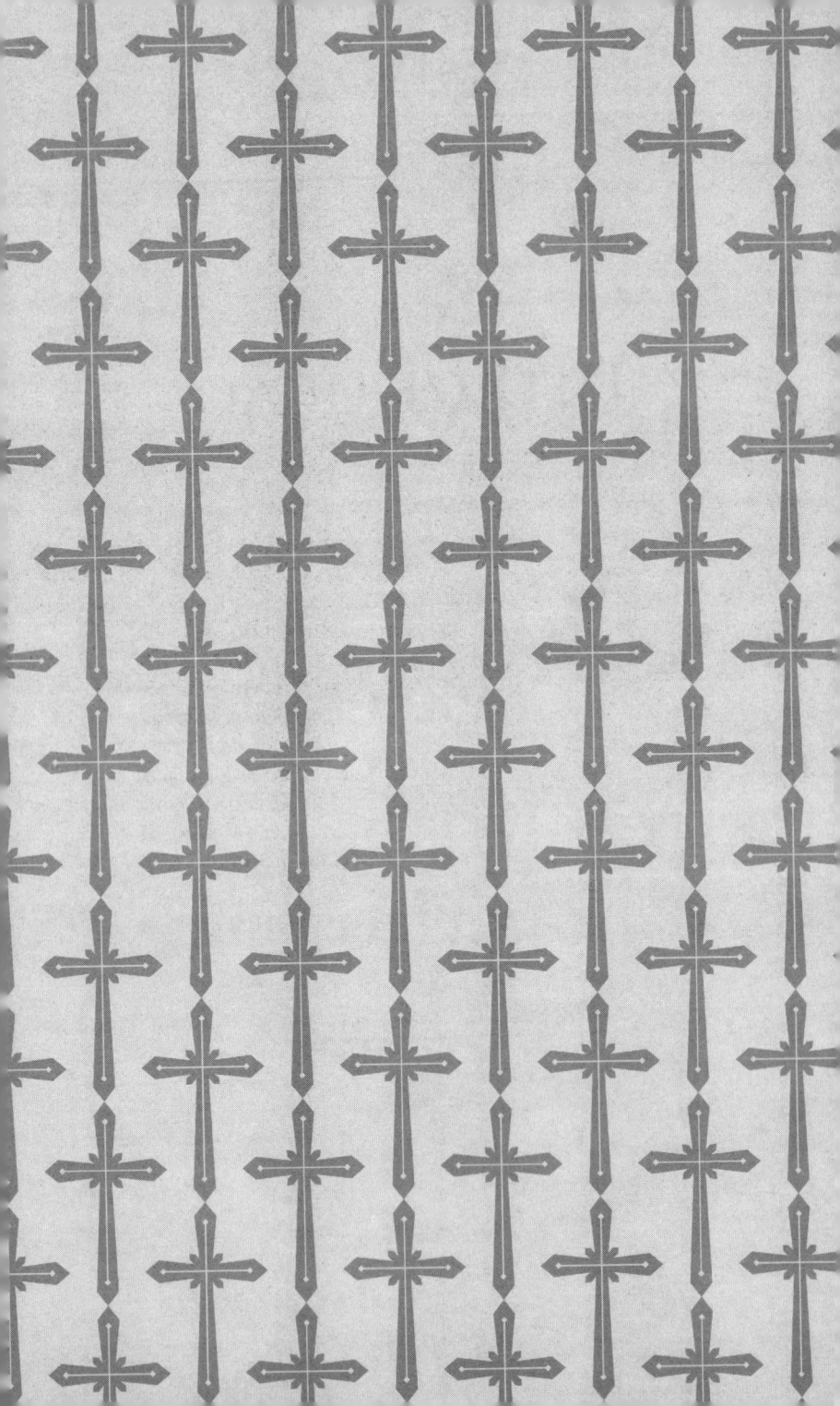

Se, em razão da atitude de um só homem, o pecado entrou no mundo e, como consequência desse deslize, sobreveio a morte, por intermédio de Jesus recebemos a graça (cf. Rm 5,12-21). E a graça de Deus em Cristo faz toda a diferença.

Nesta continuação do livro *Batalha espiritual,* trataremos dos combates que todos travamos em nosso dia a dia. São combates, ademais, que independem da nossa vontade. E não me refiro à possessão nem àqueles atos vexatórios do Maligno, mas, antes, à desarmonia que habita dentro de cada ser humano e, sem dúvida, também conta com as inspirações do Inimigo.

Desarmonizar ou desestabilizar é um dos seus maiores passatempos. O Inimigo não descansa enquanto não estraga aquilo que Deus fez tão bem. Foi assim na queda de Adão e Eva e continua a ser em todas as formas de proliferação do mal na história da humanidade. "Nós sabemos que somos de Deus e que o mundo inteiro está sob o poder do Maligno" (1 Jo 5, 19).

Ao perdermos o equilíbrio em alguma área da nossa vida, comprometemos todas as outras, porque elas são indissociáveis. O ser humano é um todo em que os fatores físicos, emocionais e espirituais estão interligados. Assim, se a raiz do pecado é espiritual, a consequência pode ser também emocional ou psicológica.

Ninguém consegue se "plugar" e se "desplugar" instantaneamente, como se fosse um computador. Por isso, cabe a nós detectar em que instância somos mais vulneráveis às investidas do Inimigo, que assim nos estimula a ficarmos contra o Criador e contra nós mesmos. Uma vez identificado isso, devemos nos fortalecer na fé e na oração, trilhando então o caminho de volta à essência da comunhão com Deus.

Nosso Pai nos fez maravilhosos e nos quer felizes. Contudo, a verdade do mundo pode nos fascinar, encantar, enganar e cegar. De fato, os atrativos mundanos são muitas vezes como a flauta nas mãos do encantador de serpentes: pura ilusão, pois elas não possuem ouvidos, portanto são surdas e se deixam hipnotizar apenas pelo movimento do artefato. O Inimigo de Deus e dos homens é extremamente habilidoso e também se vale de artifícios para nos persuadir e encantar. Não raro, ouvimos histórias sobre encantamentos e pessoas enfeitiçadas no âmbito do ocultismo, por exemplo. Já a verdade de Deus, às vezes, dói, mas sempre liberta. Portanto, não depositemos nossa felicidade nas verdades do mundo! Só a verdade de Deus é a Verdade propriamente dita.

É interessante constatar que as pessoas estão mais propensas a acreditar no mal que no bem. Prova disso é a repercussão do Capítulo 4 do livro *Batalha espiritual*, que trata dos malefícios com alvo certo. É difícil provar a eficácia dos feitiços, e não se deve temê-los. Geralmente, os inconvenientes que atingem vítimas de um "despacho" estão relacionados à autossugestão, a falsos medos e outros sintomas psíquicos que a pessoa já apresentava. Raramente o estrago causado origina-se do malefício propriamente dito, e isso porque, conforme expliquei, este só terá efeito se Deus assim o permitir. De modo geral, o malefício não atinge quem vive na graça de Deus e tem uma vida de oração. São Boaventura afirma que, pela oração, obtemos todos os bens e a libertação de quaisquer males. Lembremos sempre disso, portanto: temos o arsenal de combate à nossa disposição! Na dúvida, façamos uso dele.

Dito isso, minha filha e meu filho, peço que Deus Todo-Poderoso abençoe sua leitura e ilumine sua mente, para que possa compreender estas palavras e, principalmente, tornar-se um vencedor, uma vencedora, no combate do dia a dia. Só nos armando com as armas espirituais, na força do Espírito Santo, poderemos triunfar e ao final da vida dizer, como São Paulo: "Combati o bom combate, terminei a minha carreira, guardei a fé" (2Tm 4, 7).

"Feliz é o homem que persevera na provação, porque, depois de provado, receberá a coroa da vida que Deus prometeu aos que O amam" (Tg 1, 12).

Pe. Reginaldo Manzotti

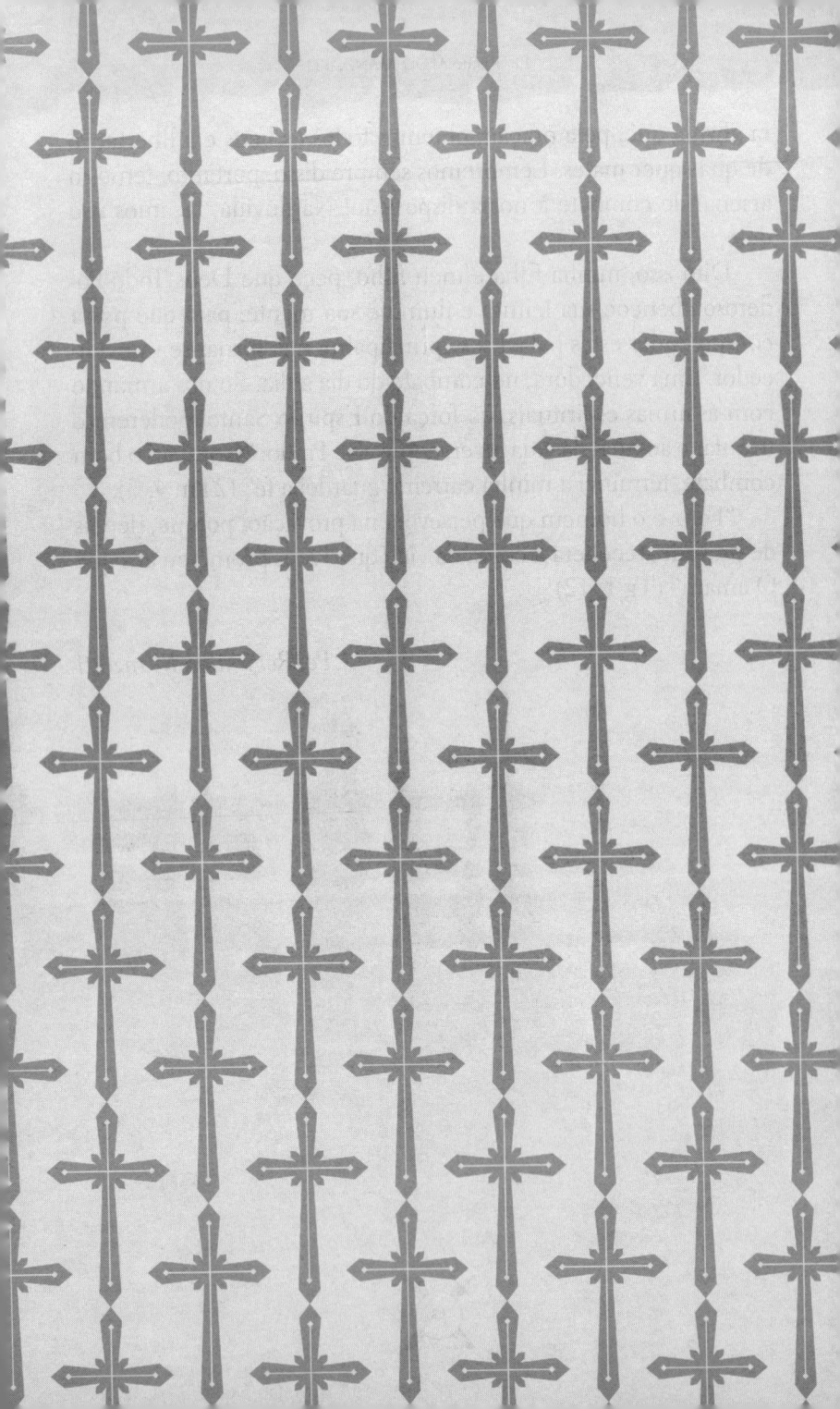

Capítulo 1

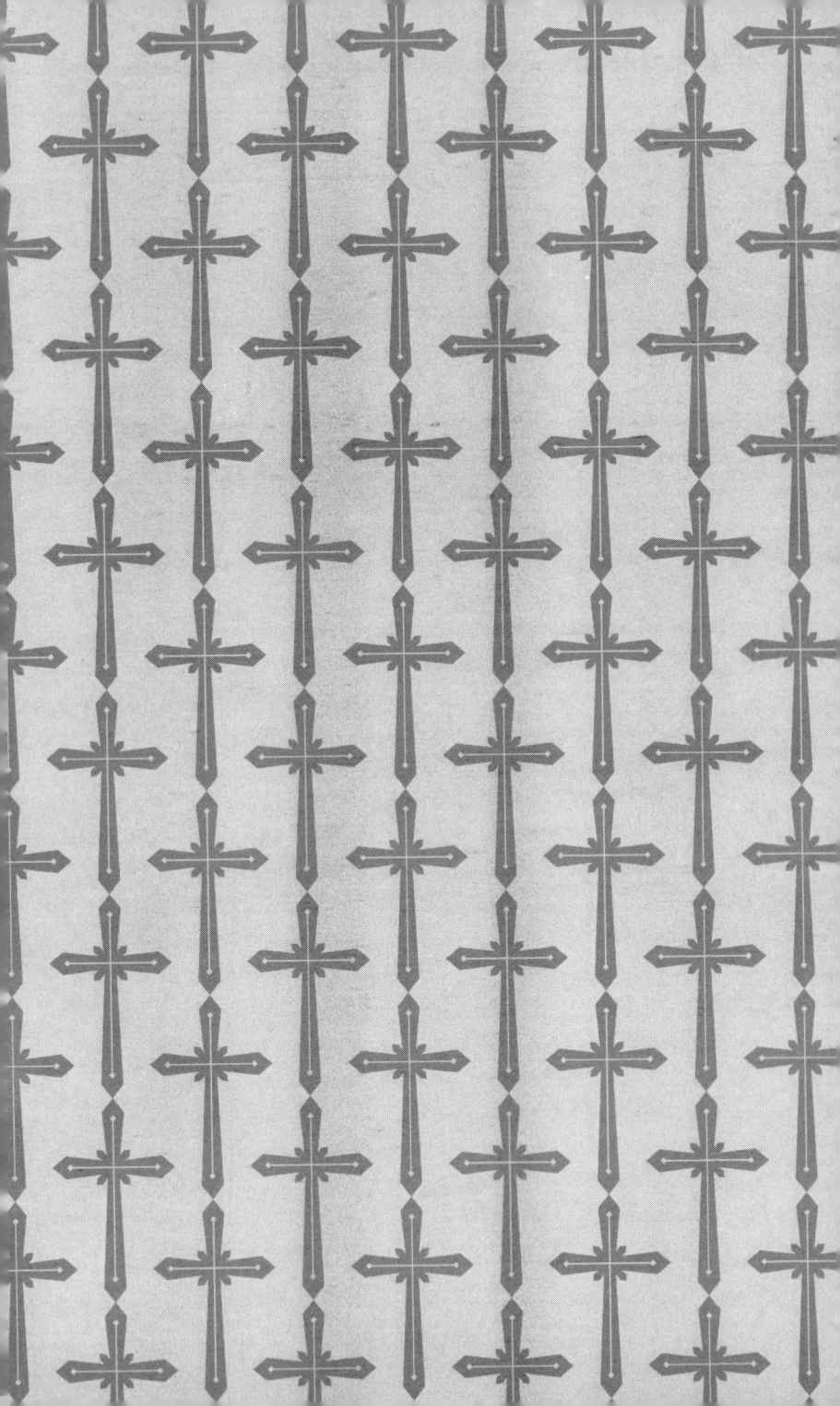

Vencendo o combate no casamento

Muitos casais me procuram querendo saber como enfrentar e vencer os desafios e problemas que surgem na sua convivência diária. Esse pode parecer um assunto essencialmente corriqueiro ou de ordem psicológica e mundana, mas não: o combate espiritual travado no plano sobrenatural começa dentro da nossa casa, atingindo em cheio um dos pilares da formação de toda comunidade familiar — o casamento.

Sim! Essa instituição, feita sacramento por Cristo, que é de importância vital e que está na origem da família e da existência de cada um de nós, paradoxalmente tem sido cada vez mais desvalorizada nos dias atuais. Qual a razão de todo esse descaso?

Essa é uma pergunta fundamental. Será que as pessoas um belo dia acordam mais intolerantes que de costume e, deliberadamente, decidem: "Hoje, vou fazer tudo para brigar com minha esposa ou esposo e ver o circo pegar fogo!" Simples assim? Até que ponto essa é uma decisão consciente daquele que a pratica, e quais são as influências que essa pessoa sofre e a levam a agir de forma destrutiva?

Pare e pense...

Em sua carta-resposta a um pedido de oração feito pelo cardeal Carlo Caffarra, arcebispo emérito de Bolonha e fundador do Instituto João Paulo II para Estudos sobre o Matrimônio e a Família, Lúcia de Jesus dos Santos, a irmã Lúcia, uma das três videntes de Fátima, falecida em 13 de fevereiro de 2005, afirmou: "A batalha final entre o Senhor e o reino de Satanás será sobre o matrimônio e a família." Ela acrescentou que todos os envolvidos no combate a favor dessas duas instituições seriam perseguidos.

O casamento sempre esteve sob o ataque do Inimigo: se tem alguém que trabalha para fazer com que tudo acabe na frente de um juiz, com a assinatura do divórcio, esse alguém é Satanás. A união conjugal foi instituída pelo próprio Criador, tornando-se sacramento de vida e de santificação, o que nos faz chamá-la de "igreja doméstica". Por isso é tão visada pelo Inimigo!

Se no lar, na vida familiar e no casamento, não há harmonia, ocorre uma "contaminação" generalizada de todas as outras searas, e muitos desanimam de tudo, afastando-se até de Deus. É justamente isso o que o Inimigo quer. Como já vimos em minha obra anterior, a batalha espiritual não se dá propriamente entre Deus e Satanás, mas sim entre nós e o Inimigo, cujo objetivo é nos afastar de Deus. E a família é um sonho de Deus para a humanidade, tanto que Jesus nasceu no seio de uma. A Trindade Santa, ademais, é antes de tudo uma família. Se a família acabar, acaba a sociedade.

O Inimigo se interpõe entre os casais e os inspira a disparar flechas de sentimentos tóxicos e atitudes insensatas, transformando o casamento em uma arena de brigas e discussões na qual nenhum dos dois ganha e todos perdem. Ao desfazer um lar, Satanás está destruindo um plano de Deus.

Certamente, há muitos aspectos comportamentais que influenciam a dinâmica do relacionamento, mas, como você já percebeu, aqui a questão é muito mais profunda, sendo de ordem espiritual. Todos os conflitos vivenciados no casamento, tanto aqueles que se originam no mundo exterior quanto no interior, são apenas a pontinha de um gigantesco iceberg, como se diz por aí. Lá para baixo, submersas nas águas, estão as verdadeiras razões de tanto desassossego na vida a dois, o que nos obriga a nos aprofundarmos no campo espiritual, cuja influência sobre o bem-estar ou as desavenças no casamento é muito poderosa.

Na *Batalha espiritual*, mencionei que o Inimigo incita maus pensamentos e é especialista em camuflar aquilo que faz mal sob a aparência de algo positivo. Na vida conjugal, por exemplo, esse é precisamente o seu ardil, em que muitos acabam caindo e selando o fim do casamento.

Não deixe o Inimigo semear no jardim do seu casamento

Na parábola do joio e do trigo (cf. Mt 13, 24-30), Jesus faz distinção entre ambos esses itens, aludindo respectivamente às influências malignas e benignas. Tanto Jesus como o Diabo são semeadores. Em nosso campo, ou melhor, em nosso jardim interior, Jesus semeia o bem, enquanto o Diabo semeia o mal. Na maioria das vezes, não conseguimos discernir um do outro: afinal, joio e trigo são *aparentemente* iguais, uma espécie de ilusionismo. O Inimigo faz isso mesmo: potencializa os efeitos da raiva fazendo parecer que não há mais lugar para o amor dentro de nós. Outra ilusão! Uma pessoa pode amar e, mesmo assim, sentir raiva, o que não é motivo para separação, pois trata-se de um sentimento passível de ser administrado.

Bem e mal, luz e trevas, o que emana de Deus e o que tem origem no outro lado. Jesus é o semeador, mas nós somos os jardineiros; então cabe ao nosso arbítrio decidir o que vamos deixar florescer aqui e ali. Todos nós temos que ser jardineiros de nós mesmos, da família e, também, do casamento, sempre zelando pelo terreno que nos foi confiado.

Então, responda com sinceridade: como está o jardim do seu casamento? Se faz tempo que não se vê um botão de flor, algo está errado. Se a terra chega a ficar esturricada de tão seca, está faltando trabalhá-la com o adubo da oração, da ação do Espírito Santo e da fé em Deus.

E se, por conta dessa dificuldade no relacionamento, o seu próprio jardim interior estiver malcuidado, cheio de detritos, com flores murchas e caídas, vale a pena se esforçar um pouco mais, afofar a terra, podar algumas plantas, regar outras — primeiramente, para se sentir melhor consigo mesmo, mas também para ter algo a oferecer ao outro. Lembre-se de que ninguém pode ficar por muito tempo em uma terra devastada. Se, no jardim do relacionamento, a terra está revirada ou cheia de mato, logo o marido ou a mulher buscarão o jardim de outra pessoa.

À pergunta "Como é ameaçado o matrimônio?", o catecismo que a Igreja elaborou para os jovens, intitulado YouCat (abreviação de *Youth Catechism*), responde: "O que realmente ameaça o matrimônio é o pecado; o que o renova é o perdão; o que o fortalece é a oração e a confiança na presença de Deus. O conflito entre os homens e as mulheres, que, por vezes, leva ao ódio mútuo, especialmente no casamento, não é um sinal de incompatibilidade dos sexos; também não existe uma disposição genética para infidelidade, nenhum especial impedimento psíquico para uniões perpétuas. Muitos casamentos são danificados pela falta de uma cultura de diálogo e de atenção. A isso se acrescentam problemas financeiros. Um papel decisivo, porém, tem a realidade do pecado: o ciúme, o despotismo, a polêmica, a avidez, a infidelidade e outras forças destruidoras. Por isso, fazem essencialmente parte do casamento o perdão e a reconciliação, mesmo pela confissão" (264).

Aprenda a identificar as obras do Diabo

Costumo dizer que o Diabo é como um marimbondo: não é uma abelha, não produz mel, é estéril e tem como único propósito ferroar. Ele costuma atingir as duas instituições que mais o incomodam: a Igreja e a família.

No seio familiar, faz sua colmeia embaixo da cama do casal, e a partir daí deixa de haver mel, carinho e gestos de cooperação. O que resta são apenas ferroadas que doem profundamente e destroem o matrimônio. Já na casa de Deus, a Igreja, o Inimigo costuma dar ferroadas de discórdia, brigas, fofocas e disputas de poder. Não por acaso, faz sua colmeia perto da sacristia. Por isso, precisamos cuidar sempre desses dois lugares sagrados, para não sermos ferroados pelo Maligno.

Avancemos um pouco no entendimento de algumas das forças destruidoras utilizadas pelo Inimigo para minar o casamento. Comecemos pelo ciúme, a respeito do qual todo mundo costuma ter um pezinho lá e cá, alegando que uma "pitadinha" desse sentimento não faz mal a ninguém e ainda serve para "temperar" o amor. Na verdade, isso só tem fundamento quando se trata de um simples instinto de preservar alguém ou algo que se quer bem. Por outro lado, está comprovado que ciúme em demasia pode envenenar o relacionamento, pois quase sempre vem acompanhado de mal-estar. O medo de ser abandonado pela pessoa que se ama ou se supõe amar gera insegurança, autoestima baixa, sentimento de posse e de inferioridade.

Geralmente, o ciumento é invejoso, egoísta e arrogante. Ele não se sente totalmente incluído na atenção ou no sucesso do outro, e por isso tenta podá-lo. Nesse processo destrutivo, começa a tratar o outro como sua propriedade e a "fabricar" afrontas, quando na realidade a malícia e a maldade estão em seu próprio pensamento, como escreveu o apóstolo Paulo a Tito: "Para os puros, todas as coisas são puras; mas, para os impuros e descrentes, nada é puro: tanto a mente como a consciência deles estão corrompidas" (Tt 1, 15). Os ciumentos "patológicos" não admitem suas limitações e transferem para a outra pessoa suas culpas, sem, porém, lhe dar direito a maiores explicações. Em geral, não gostam nem de falar sobre o assunto, o que, no limite, pode levar ainda à manifestação de doenças emocionais. O ciúme exagerado pode culminar em violência doméstica e até em crimes supostamente cometidos em nome do amor.

Além do ciúme, há os estragos provocados pela avidez. Os sinônimos dessa palavra não deixam dúvida quanto ao seu efeito maléfico: ganância, ansiedade, impaciência, ambição, cobiça, avareza, sofreguidão, pressa, inveja, concupiscência... A avidez, portanto, pressupõe "exagero", e todos os sentimentos que não são equilibrados tendem a nos escravizar. O apego demasiado a algo ou a alguém faz desse objeto de desejo um ídolo, o que nos afasta de Deus e abre brechas para o Inimigo agir.

Sabemos que os tempos estão difíceis, e, como se costuma dizer, "cobra parada não engole sapo", mas muitos casais, ou pelo menos uma das duas partes, na avidez de possuir bens materiais e acumulá-los, só pensam em obter êxito nos negócios, negligenciando qualquer tipo de atenção ao companheiro e à família. Com o tempo, a falta de partilha e as atitudes individualistas geram atritos, e a convivência passa a ser permeada de irritabilidade, cobranças etc. Querer uma vida melhor, com o conforto necessário para si e para os seus, não é pecado — longe disso. Contudo, passa a sê-lo quando entra em cena a ganância, o egoísmo e a busca desenfreada por ter cada vez mais, sem se importar com o que se sacrifica para atingir esse objetivo.

Preocupações exageradas despertam ansiedade e sofrimento, além de não resolverem os problemas. Como disse Jesus: "Quem dentre vós, com as suas preocupações, pode acrescentar um só côvado [medida de comprimento utilizada nas civilizações antigas] à duração da sua vida?" (Mt 6, 27). E mais: Satanás estimula a ansiedade porque ela nos faz perder a confiança em Deus, antecipando uma dificuldade que nem sabemos se irá se consumar. O ensinamento do Mestre, porém, foi claro: "Não vos preocupeis, portanto, com o dia de amanhã, pois o dia de amanhã se preocupará consigo mesmo. A cada dia basta o seu mal" (Mt 6, 34).

A família é uma benção de Deus, e por isso não podemos deixá-la em segundo plano sob nenhuma hipótese, conforme o conselho do Livro de Eclesiastes: "Desfrute a vida com a esposa que tu amas, durante todos os dias da vida fugaz que Deus te concede debaixo do sol. Porque esta é a tua porção na vida e no trabalho com que te afadigas debaixo do sol!" (Ecl 9, 9).

Outra área em que o Inimigo exerce forte influência é sobre a sexualidade do casal. Não é por acaso que existe uma grande demanda por sexo, ao passo que muito pouca atenção é dada ao amor. É aí que se originam os conflitos, precisamente na separação entre um e outro. Ora, um casal no sentido estrito da palavra não pode separar o sexo do ato de doação que é o amor.

O Papa Francisco, na Exortação Apostólica Pós-sinodal intitulada *Amoris laetitia* ["Alegria do amor"], ao tratar da dimensão erótica do amor, explica: "O próprio Deus criou a sexualidade, que é um presente maravilhoso para as suas criaturas. Quando se cultiva e evita o seu descontrole, fazemo-lo para impedir que se produza o depauperamento de um valor autêntico." E continua o Papa: "O erotismo mais saudável, embora esteja ligado a uma busca de prazer, supõe a admiração e, por isso, pode humanizar os impulsos" (150).

Segundo o *Catecismo da Igreja Católica*, "os atos pelos quais os esposos se unem íntima e castamente são honestos e dignos: realizados de modo autenticamente humano, exprimem e alimentam a mútua entrega pelo qual se enriquecem um ao outro com alegria e gratidão. A sexualidade é fonte de alegria e de prazer: o próprio Criador estabeleceu que, nesta função (geração), os esposos experimentassem prazer e satisfação do corpo e do espírito. Portanto, os esposos não fazem nada de mal ao procurar esse prazer e gozar dele. Aceitam o que o Criador lhes destinou. No entanto, devem saber manter-se dentro dos limites de uma justa moderação" (2362). Assim, o que vai contra a dignidade do ato conjugal — a saber, a redução da sexualidade plena do ser ao simples "genitalismo", ao ato puramente mecânico ou à busca da própria satisfação individual — torna-se pecado.

Cito como exemplo um testemunho postado em nosso site por uma esposa que enfrentou sério problema em sua vida conjugal: "Meu marido tem um vício que me magoa muito. Principalmente quando não estou por perto, ele assiste a filmes pornográficos e não consegue se controlar. Acompanho seus programas e ouvi o senhor aconselhar, para alguém com problema semelhante, que o caminho não é brigar e jogar fora o material pornográfico, e sim buscar o diálogo, a oração e, se necessário, uma ajuda profissional. O senhor estava certo! Depois de muita oração pedindo que o Espírito Santo me iluminasse, achei o momento oportuno para conversar com meu marido sem fazer acusações. Pedi para ele se colocar em meu lugar e compreender como eu me sinto. Foi uma conversa muito dura, mas deixei claro que eu o amo e não quero perdê-lo, e por isso estou disposta a lutar junto com ele para vencer essa tentação diabólica. Ele não aceitou procurar ajuda, pois disse que tem dificuldade de falar sobre o assunto com outras pessoas. Não superamos isso de uma hora para outra; demos um passo de cada vez, mas hoje estamos bem. Pelo menos em casa ele não armazena nem acessa mais filmes de pornografia. A fé, a oração e a Palavra de Deus têm sido nossa força."

O marido não deve fazer sexo com a esposa apenas para o seu próprio prazer, mas também para satisfazer a mulher; esta, por sua vez, deve esforçar-se para propiciar plenitude ao marido. É nesse olhar para o outro que o amor é alcançado, e se ele estiver presente no ato sexual a satisfação de ambos será atingida.

Além disso, é bem verdade que homens e mulheres são fisiologicamente diferentes. Isso torna compreensível que a libido de ambos também se comporte de forma diversa. Mas, então, como equalizar tamanha desproporção?

Simples. Pelo caminho do amor: "Eu não faço por mim, faço pelo outro."

Sei que não é fácil trilhar um caminho mais longo e, muitas vezes, mais árido, como aquele que Jesus percorreu no deserto enquanto resistia às tentações criadas pelo Inimigo. Em nossa vida cotidiana, as armadilhas arquitetadas pelo Diabo são muito perigosas.

Para começar, ele se contrapõe ao recato, que não é outra atitude senão a de tratar a própria sexualidade e a do outro de forma saudável, respeitosa e dignificante. O Diabo nos induz a uma espécie de liberdade absoluta de costumes, o que é inegavelmente sedutor. Afinal, quem não se encanta com a ideia de ser livre e dono absoluto do próprio nariz? Ainda mais quando somos jovens e queremos que o mundo inteiro caiba dentro do nosso abraço... Pois bem, no afã de trilhar os caminhos da liberdade sem freios, esse ideal de vida aparentemente tão bonito, esquecemos que o livre-arbítrio nos foi concedido por Deus para que cheguemos até o Seu Reino por nossas próprias pernas, na escolha daquilo que é bom. Só que temos a opção de rejeitar o amor de Deus, e Ele sabe que nosso livre-arbítrio pode criar essa barreira. Mesmo assim, Deus nos apresentou a porta que conduz até Sua Graça, que é Jesus. "Eu sou o caminho, a verdade, e a vida; ninguém vem ao Pai senão por mim" (Jo 14, 6). Como se não bastasse, concedeu-nos o dom gratuito da salvação, que foi regiamente pago com o sangue de Jesus e que acolhemos livremente pela fé.

Cabe, portanto, a cada um cultivar seu relacionamento pessoal com Deus e escolher o que Ele deseja, mas o que nós fazemos?

Queremos ser "livres" em absoluto, independentes de Deus!

Deus não é tolo e sabe disso. Mas o Inimigo também sabe. Afinal, quem é o Tentador? Deus é que não é. Em sua carta, São Tiago afirma: "Quando tentado, que ninguém diga: 'Deus está me tentando.' Porque Deus não é tentado a fazer o mal nem tenta a ninguém. Cada um é tentado pelo próprio desejo, que o atrai e seduz; a seguir o desejo concebe e dá à luz o pecado, e o pecado, uma vez consumado, gera a morte" (Tg 1, 13-15).

Tudo o que é contrário à Lei de Deus não vem d'Ele, pode ter certeza. Satanás é o Tentador, mas a tentação em si mesma não é pecado. Para isso, deve existir o "aceite", e aceitar ou não o que o Inimigo sopra no nosso coração é uma decisão de cada um. Papa Francisco nos advertiu sobre isso: "A serpente (o Diabo) é astuta: não se pode dialogar com o Diabo. Todos nós sabemos o que são as tentações; todos sabemos, pois as temos. São tentações de vaidade, de soberba, de ganância, de avareza… Mas todas começam quando dizemos: pode, pode" (Papa Francisco, *Meditação matinal* de 10 de fevereiro de 2017).

Acredite quando eu afirmo que o Inimigo é especialista em nos iludir. Não há verdadeira liberdade sem o amor de Deus! Este amor nos tem sido revelado desde que o mundo é mundo, mas insistimos em nos esquivar e correr atrás das quimeras oferecidas pelo Diabo.

Então, eu faço aqui uma pergunta direta, para a qual quero uma resposta sem rodeios: e você, o que está esperando para aceitar o amor de Deus hoje?

As armas para vencer o combate espiritual no casamento

Todos sabemos que a infidelidade é o principal motivo que leva casais à separação. O Tentador, que está sempre alerta, aproveita para instigar: "Vai lá, uma vez só não tem problema"; "Aproveite! Se souber fazer, ninguém vai descobrir"; "Um romance passageiro não traz consequências"; "Veja como ela é mais bonita que sua mulher! Vai ser um troféu"; "Ele é muito mais atencioso que seu marido"... Muitos caem nessas investidas por vaidade, carência, frustração, necessidade de autoafirmação, entre outras inclinações pessoais, além dos problemas enfrentados na vida conjugal.

Vale lembrar que a infidelidade é um ato doloso, ou seja, ela não ocorre involuntariamente contra a vontade de quem a pratica. Trata-se, portanto, de uma atitude pensada, deliberada e premeditada. Geralmente, ambos, traidor e traído, são responsáveis pelo fato de não cultivarem o amor. Se, em uma relação a dois, surge e se interpõe uma terceira pessoa, é porque o amor não estava preenchendo todos os espaços. Para muitos casais, o passar dos anos aumenta a indiferença e desfaz o vínculo amoroso. Com isso, o lar passa a ser uma espécie de "pensão", que cada qual utiliza apenas para dormir e trocar de roupa. Deixa de existir o clima acolhedor de harmonia, compreensão e paz. Como já disse, é aí que a voz do Inimigo ecoa de modo mais intenso, ao que sobrevém a queda.

Hoje, uma nova modalidade de infidelidade tem sido cada vez mais difundida: a traição virtual. Sem dúvida, a internet proporciona inúmeros benefícios ao nosso dia a dia, porém o mau uso dessa ferramenta pode trazer sérios contratempos, incluindo o fim do casamento. Todos sabemos que homens e mulheres casados e insatisfeitos em seus relacionamentos costumam procurar por erotismo e "amores" virtuais. Isso é mais um engodo que pode trazer consequências nefastas. No mundo digital, qualquer um pode se valer de mil artifícios para impressionar e enganar o outro, desde a aparência física até a manutenção de um diálogo agradável, estrategicamente forjado com base em pistas que, mesmo sem perceber, a própria pessoa fornece sobre suas expectativas e preferências. Isso a torna vulnerável, e aquele que está do outro lado manipula as informações criando um verdadeiro mundo de ilusões, no qual alguém por um simples contato virtual o transforma em um príncipe ou uma princesa, enquanto o marido ou a esposa não passam de um sapo ou uma bruxa.

Nesse mundo de aparências, virtual ou não, certamente o cônjuge está em desvantagem. Ele é aquele que, na maioria das vezes, "dá um duro" danado para ajudar na manutenção do lar, correndo o dia inteiro para dar conta do emprego, dos afazeres da casa e da educação dos filhos, além de resolver todos os problemas do cotidiano. Já o papel de amante normalmente fica isento do peso dessas responsabilidades, e por isso mesmo fica envolto por uma aura de glamour. No entanto, esse glamour não passa de fachada e se desfaz ao primeiro lampejo de realidade, exatamente como nos adverte o *Livro dos provérbios*: "Os lábios da estrangeira destilam mel e o seu paladar é mais suave do que o azeite. No final, porém, é amarga como o absinto e afiada como uma espada de dois gumes. Os seus pés levam para a morte e os seus passos descem para o Xeol [termo cujo significado é *sepulcro, cova*, e também pode ser traduzido como *abismo* ou *inferno*]" (Pr 5, 3-5).

Aos olhos de Deus, a infidelidade é um pecado grave, pois fere o sexto mandamento do Decálogo: "Não cometerás adultério" (Ex 20, 14). E o pecado favorece a ação do Inimigo. "Aquele que comete o pecado é do Diabo, porque o Diabo é pecador desde o princípio. Para isto é que o Filho de Deus se manifestou: para destruir as obras do Diabo" (1 Jo 3, 8).

Segundo o *Catecismo da Igreja Católica*, ademais, "o adultério é uma injustiça. Quem o comete falta com seus compromissos. Fere o sinal da Aliança que é o vínculo matrimonial, lesa o direito do outro cônjuge e prejudica a instituição do casamento, violando o contrato que o fundamenta. Compromete o bem da geração humana e dos filhos, que têm necessidade da união estável dos pais" (2381). E ainda, nas Escrituras: "O adúltero é homem sem juízo, o violador arruína-se a si mesmo" (Pr 6, 32).

Nos dias atuais, a infidelidade tornou-se um fato corriqueiro, e assim ela vem retratada também nos meios de comunicação. Porém, a traição quebra a Aliança feita pelo casal diante de Deus e das testemunhas. Diz a profecia de Malaquias: "Há uma outra coisa que vocês fazem: cobrem o altar do Senhor com lágrimas, prantos e lamentos, porque Ele não olha a oferta de vocês nem aceita com agrado a oferta de suas mãos. E vocês ainda perguntam: 'Por que isso?' Porque o Senhor é testemunha entre você e a mulher de sua juventude, à qual você foi infiel, embora ela fosse a sua companheira, a esposa unida a você por uma aliança. Por acaso Deus não fez dos dois um único ser, dotado de carne e espírito? E o que esse único ser procura? Uma descendência que provém de Deus! Portanto, controlem-se para não serem infiéis à esposa de sua juventude. Eu odeio o divórcio — diz o Senhor, Deus de Israel — e quem cobre sua veste de violência — diz o Senhor dos exércitos. Controlem-se e não sejam infiéis" (Ml 2, 13-16).

É necessário saber que ninguém é imune, nem mesmo os santos. Não é porque uma pessoa é casada que não sofrerá tentações e não achará outra pessoa atraente. Porém, é preciso estar vigilante para não cair nessa armadilha do Inimigo. Brincar de ser forte é arriscado! O mais seguro é afastar-se, evitar contatos desnecessários, vedando todas as brechas por onde o mal da infidelidade possa entrar. O Diabo é esperto, e uma de suas táticas é enganar nossos cinco sentidos. É pelo olhar que a traição começa, mesmo sem o contato dos corpos. Como afirmou Jesus, aquele que olha para uma mulher e deseja possuí-la já cometeu adultério em seu coração (cf. Mt 5, 28). Isso vale para as esposas também.

Uma boa tática para desarmar o Inimigo e as tentações que ele nos traz hoje é, com sinceridade e reta intenção, fazer uma varredura no seu próprio celular e identificar quantas mensagens e imagens de cunho pornográfico você costuma receber e abrir. Da mesma forma, vasculhar nos contatos quantos números salvos remetem a uma vida dúbia e pecaminosa. O segundo passo a ser dado com coragem penitencial implica fechar todos os acessos a páginas da internet que envenenam a alma com o vício da luxúria.

Enfrentar essa fraqueza e livrar-se desse conteúdo com o firme propósito de não repeti-lo é, certamente, início de conversão e mudança de vida, a qual resulta em cura pessoal e conjugal.

Repito: não estou afirmando que a tecnologia em si seja um mal, mas constato que hoje ela também vem sendo utilizada como poderoso instrumento para o Diabo e o mal entrarem em nossos lares.

Surpreende-me o fato de pessoas casadas confidenciarem cuidado extremo para que o cônjuge não tenha acesso ao seu smartphone, a ponto de levarem o aparelho consigo mesmo na hora do banho e dormirem com ele embaixo do travesseiro. Será que o "eu" que mostramos no Facebook, no Instagram e no WhatsApp não está precisando de conversão?

Uma mulher casada há quinze anos partilhou comigo que seu casamento não era mais o mesmo, apesar das qualidades do seu companheiro como marido e pai de família. A seu ver, parecia que faltava algo, provavelmente porque ele tinha sido seu primeiro e único namorado e, naquela altura da vida, ela estava com vontade de experimentar algo novo. Perguntei a ela por que não resgatar e reavivar o sentimento que os unira. Ela me disse sentir falta de demonstração de carinho por parte dele. Aconselhei-a a falar abertamente com ele sobre como se sentia, pois é deslealdade silenciar e seguir fantasiando com a possibilidade de outros relacionamentos, sem dar oportunidade de o marido saber o que está acontecendo e se esforçar para suprir as expectativas da esposa. O casal tem que travar essa batalha unido! Se não conseguirem superar as dificuldades conjugais, ambos devem buscar orientação especializada. O fundamental é agir com franqueza e maturidade para o bem dos dois e da família.

O melhor caminho para resgatar o casamento, portanto, passa pelo diálogo sincero, transparente e sóbrio, sem provocações ou acusações. Ele deve ser realizado com humildade e com o objetivo de reconhecer limitações e tentar superá-las. Mesmo quando, infelizmente, o relacionamento está muito abalado, não se deve partir para a separação. Afinal, sempre é possível o perdão e o arrependimento. Sem dúvida, muitos maridos e esposas têm motivos concretos para se sentirem tristes, humilhados, machucados e zangados, mas o perdão é a chave da cura, sempre. Nas partilhas que recebo, aqueles que passam por problemas no casamento relatam que esta é uma das dores emocionais mais dilacerantes, descrevendo-a como um punhal cravado no coração que parece rasgar o peito.

Você pode pensar e sentir com toda a sua convicção: "Não consigo perdoar!" Isso é perfeitamente compreensível, pois somos seres humanos e temos nossos limites. Meu papel, porém, é ser porta-voz da mensagem de Deus, e por isso lanço aqui um desafio: perdoar é uma atitude tão sublime e grandiosa que só pode ser tarefa para um coração verdadeiramente cristão. Não se trata de fingir que os problemas não existem, é claro — até porque a relação terá de ser reconstruída, o que leva tempo.

No entanto, o verdadeiro sentido de perdoar vai além e significa viver sem deixar que os efeitos do pecado destruam aquilo que Deus planejou para nós. Parece muito difícil? Experimente, nem que seja por alguns instantes, desvencilhar-se dessa capa de egocentrismo, outra inclinação do ser humano que o Inimigo faz questão de insuflar. Em vez de se expressar o tempo todo na primeira pessoa — "eu fui traído", "eu não posso perdoar", "o meu sofrimento é imenso" —, procure enxergar a realidade que te aflige pelo ângulo do "nós": "nós precisamos nos entender", "nossos conflitos são passíveis de superação", "nós temos que fazer pequenos sacrifícios para recebermos o melhor de Deus". Quando presido um casamento, faço questão de ressaltar para os noivos que, embora tenham entrado na Igreja como duas pessoas, ao saírem estarão unidos como uma só carne — ou seja, são um casal.

Na Carta aos Efésios, o apóstolo Paulo descreve a relação ideal entre marido e mulher, dizendo que ao primeiro cabe a posição de "cabeça" do casal, assim como Cristo é cabeça da Igreja e o salvador do corpo. Mas não é só. Logo a seguir, recomenda que o marido deve amar a esposa como a seu próprio corpo. Há quem ironize essa passagem, afirmando que, se o homem é a cabeça do casal, a mulher é o pescoço, responsável pela sustentação da cabeça e capaz de movê-la para onde quiser. Outros são ainda mais críticos e atribuem ao apóstolo uma visão machista. Nada disso faz sentido. O fato de o marido ser descrito como "cabeça" não quer dizer que a esposa seja inferior a ele. E a prova disso vem logo em seguida, quando o apóstolo sugere que "quem ama a sua mulher ama-se a si mesmo, pois ninguém jamais quis mal à própria carne; antes, alimenta-a e dedica-lhe seus cuidados, como também faz Cristo com a Igreja, porque todos somos membros do Seu corpo" (Ef 5, 28-9). Portanto, posso atestar que o conselho de Paulo é atemporal e deve ser traduzido como símbolo de parceria, companheirismo, gentileza, serviço, amizade e zelo de um para com o outro.

Cristo ama Sua Igreja de forma perfeita, com o amor ágape, que se manifesta incondicionalmente. E a tônica de todo relacionamento deve ser dada pelo mesmo sentimento, que transborda e se manifesta de muitas formas. O segredo é desviar o foco do conflito para a obra que a mão do Criador desenhou milimetricamente para a sua vida. Como disse o salmista: "O Senhor é bom para todos, compassivo com todas as Tuas obras. Teu reino é reino para os séculos todos, e Teu governo para gerações e gerações. O Senhor é verdade em Tuas palavras todas, amor em todas as Tuas obras" (Sl 145, 9-13).

A verdadeira essência do amor está estampada e escancarada no coração do Senhor, e podemos encontrar as maiores provas de sua existência nas Santas Chagas, na Cruz, na Morte e na Ressurreição de Jesus. Não podemos nos esquecer de que Deus nunca desejou diretamente a morte de Seu Filho amado, mas a permitiu. Jesus, por sua vez, aceitou morrer não por outro motivo senão o amor.

Fico pensando na magnitude desse gesto do Senhor e do quanto nós agimos de forma medíocre no dia a dia, sucumbindo diante do primeiro revés. Isso vale, sobretudo, para a vida conjugal, em que o casal se defronta sempre, e cada vez mais, com as responsabilidades e desafios típicos dos tempos modernos. Agora, eu pergunto: à luz do caminho percorrido pelo Senhor para nos salvar, aquele que se depara com um percalço no relacionamento matrimonial tem direito de desistir e jogar tudo para o alto?

É importante reforçar que, antes de um "reencontro" do casal, deve-se trabalhar a reconciliação em um nível ainda mais elementar, que é base para tudo, incluindo a reconstrução dos laços matrimoniais. Essa reconciliação elementar é a reconciliação de cada um de nós com Deus. Ao mencionar essa necessidade primordial, lembro-me da passagem bíblica que cita o momento em que um homem caiu de joelhos diante de Jesus e implorou: "Se quiseres, podes purificar-me!" Tomado pela compaixão, Jesus estendeu-lhe a mão e respondeu: "Quero. Sê purificado!" (cf. Mc 1, 40-41).

Em nossa vida, temos de nos deixar invadir pelo mesmo senso de desprendimento e cair de joelhos diante de Deus, reconhecendo que somente a Sua presença pode purificar nossos pecados. Certamente ouviremos d'Ele: "Sê purificado!"

Estamos em vantagem porque Deus já se reconciliou com o mundo em Cristo (cf. 2 Cor 5, 19), lançando em Sua conta os pecados dos homens e pavimentando assim nosso caminho até Ele. Mas nossa purificação é seriamente ameaçada pela ação do Inimigo. Ela só ocorre de fato quando deixamos que Deus entre na nossa vida. "Mesmo que você se lave com potassa e com muito sabão, a mancha da sua iniquidade permanecerá diante de mim..." (Jr 2, 22).

Lembremos que só somos purificados internamente pelo Sacramento da Confissão, que apaga a culpa, limpa o coração da mancha do pecado e recupera em nós o estado da graça. E, uma vez reconciliados com Deus, estamos aptos a nos reconciliar com o outro, o que pode ser o grande antídoto para varrer de uma vez as rachaduras e destroços resultantes das ciladas do Diabo no casamento. A tática do Inimigo é sempre a mesma: iludir, semear a dúvida, provocar a divisão e nos afastar de Deus.

Recordo aqui um fato partilhado por um casal que, após vários problemas de relacionamento, com brigas, desentendimentos e intrigas, decidiu iniciar um diálogo franco sobre a raiz de tantas discórdias. Conversaram e tomaram a iniciativa de se confessar individualmente. E, graças ao precioso Sacramento da Confissão, tendo os pecados perdoados, ambos foram libertados do "espírito mau" do conflito permanente.

O perdão mútuo é uma das grandes armas do casal para romper as amarras do Inimigo e promover o diálogo em Deus. A união sai fortalecida quando marido e mulher conseguem enfrentar e resolver problemas que poderiam afastá-los. Por isso, como já expliquei, os conflitos conjugais não devem ser ignorados ou empurrados para debaixo do tapete, mas encarados de frente e resolvidos por meio do diálogo. Este deve contar com o poder de discernimento, que não advém dos conselhos dos amigos de boteco ou da sabedoria de almanaque das "comadres" do mundo real ou virtual, mas de Deus, por meio da ação do Espírito Santo.

Finalizo este capítulo com uma frase do Salmo 127: "Se o Senhor não constrói a casa, em vão labutam os seus construtores; se o Senhor não guarda a cidade, em vão vigiam os guardas" (Sl 127, 1). Isso quer dizer que os casais e as famílias precisam ter Jesus como esteio, permanecendo unidos a Ele.

Se o casamento e o lar forem construídos sobre a rocha firme que é Jesus, nem as tribulações e os ventos contrários, nem as investidas de Satanás, o abalarão. Para vencer o combate espiritual no casamento, a oração particular e a oração em família são essenciais, assim como alguma vinculação à comunidade eclesial e à vida sacramental, que gera a comunhão com Deus e entre os familiares.

Recomendo, ainda, aos casais que cultivem a alegria, fruto contínuo do Espírito Santo, e promovam a cada dia em seu espaço de convivência a paciência, o diálogo, a responsabilidade, a fidelidade e o perdão. Quem segue Jesus, que marcha à frente no combate, e Seu exemplo de amor construirá um casamento sólido e sairá vitorioso, gerando uma família segundo os sonhos de Deus, semeadora de um mundo melhor.

Para rezar

SALMO 127 (128)

Ant.: *O Senhor nos abençoe em toda a nossa vida.*

Feliz és tu se temes o Senhor
e trilhas Seus caminhos!

Do trabalho de tuas mãos hás de viver,
serás feliz, tudo irá bem!

A tua esposa é uma videira bem fecunda
no coração da tua casa;
os teus filhos são rebentos de oliveira
ao redor de tua mesa.

Será assim abençoado todo homem
que teme o Senhor.
O Senhor te abençoe de Sião,
cada dia de tua vida;
para que vejas prosperar Jerusalém
e os filhos dos teus filhos.

Ó Senhor, que venha a paz a Israel,
que venha a paz ao vosso povo!

Glória ao Pai, ao Filho e ao Espírito Santo.
Como era no princípio, agora e sempre. Amém.

Oração

Oração para o lar ou o trabalho

Visita, ó Pai, a nossa casa [negócio, ofício...] e mantém afastada a insídia do inimigo; venham os Santos Anjos para protegerem a paz e que Tua bênção esteja sempre conosco. Por Cristo, nosso Senhor. Amém.

Senhor Jesus Cristo, que conduziste Teus Apóstolos a invocarem a paz em todos os lugares por onde passassem, santifica, nós Te pedimos, esta casa por meio de nossa fidelíssima oração.

Derrama sobras de Tua bênção e abundância de paz. Traz para esta casa a salvação, assim como a levaste à casa de Zaqueu quando lá entraste.

Encarrega Teus anjos de zelarem e afastarem dela cada poder do Maligno. E concede que em todos que aqui habitam seja realizada a virtude, se assim o merecerem, de virem a perceber nela a Tua morada celeste.

Pedimos-Te em nome de Jesus Cristo, nosso Senhor.
Amém.

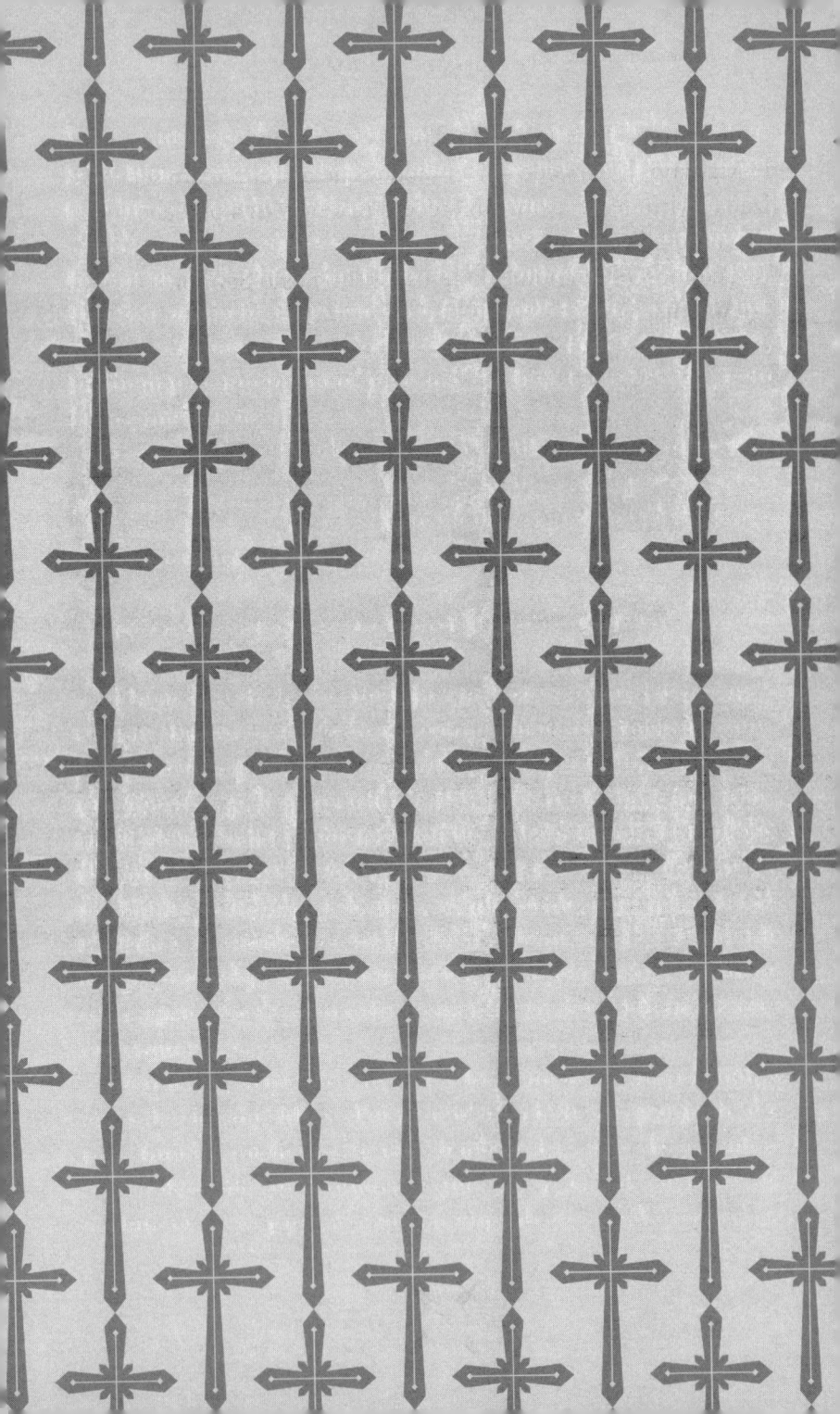

Capítulo 2

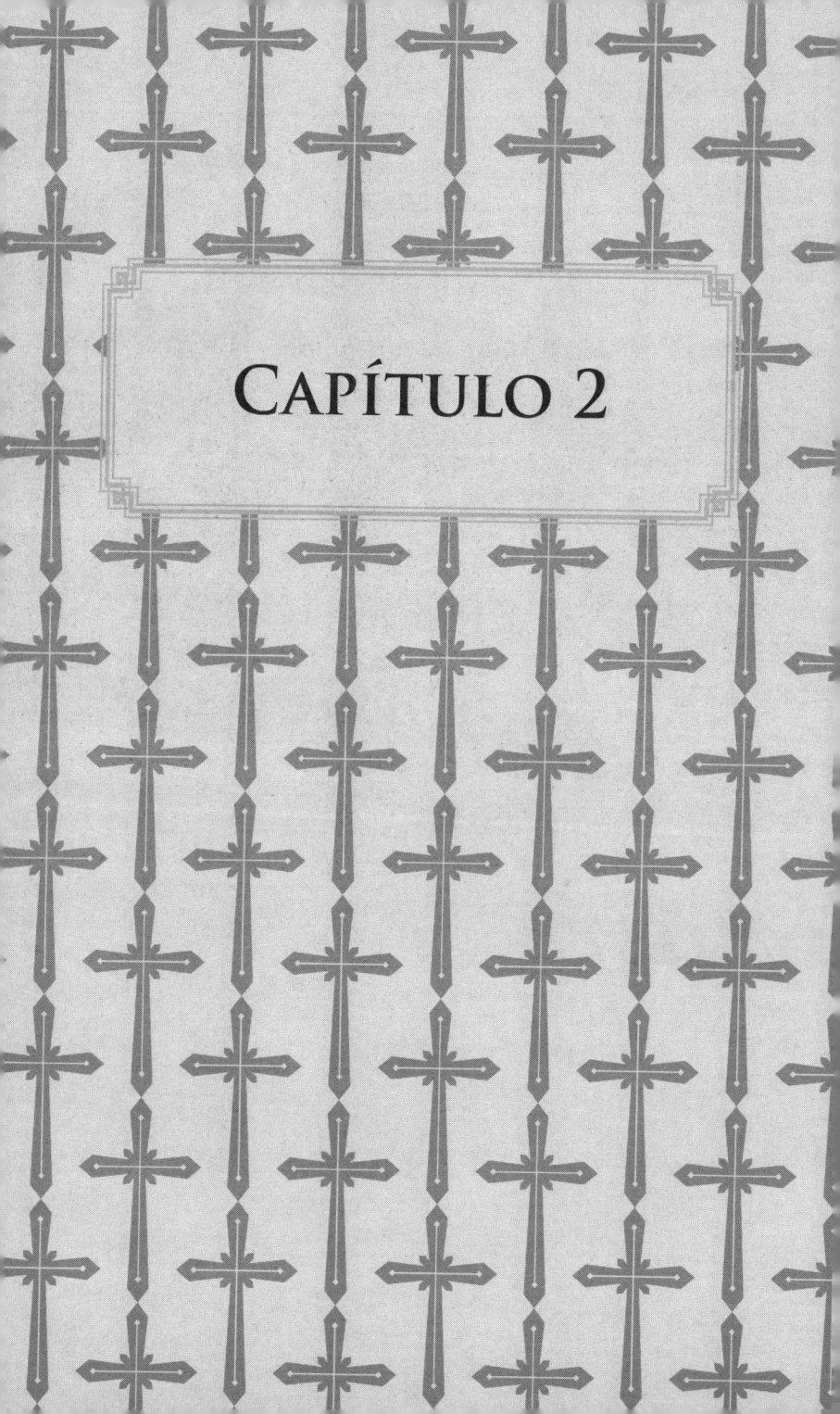

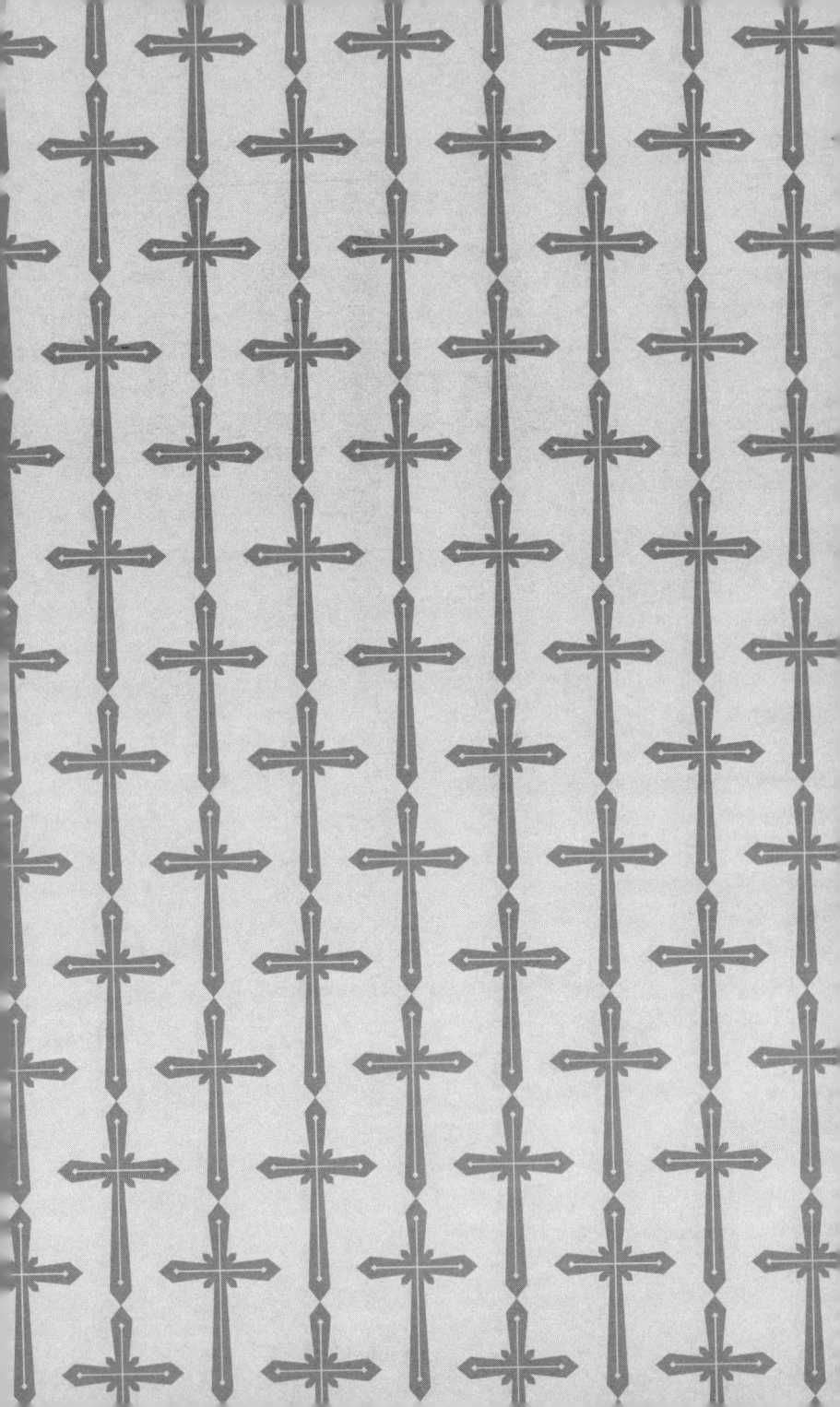

Vencendo o combate na educação dos filhos

O mundo atual tem preocupado cada vez mais pais e educadores, pois são inúmeros os desafios envolvidos na criação e na educação dos filhos. Esse quadro é decorrente, em grande parte, de uma progressiva relativização de todos os valores, o que enfraquece nosso poder de discernimento e é providencial para os desígnios de Satanás.

Sabemos que valores são princípios cultivados ao longo do tempo. Ética, verdade, justiça, compaixão, solidariedade, perdão... Todos esses valores, entre muitos outros, dão consistência à nossa existência cristã e ajudam a construir aquilo que somos, incluindo nossas relações em família e na sociedade. Do ponto de vista da doutrina católica, o oposto disso é tudo aquilo que deturpa ou manipula o nosso modo de pensar e agir e nos leva para o caminho do mal, como a corrupção, a mentira, a injustiça, o egoísmo, o materialismo, a cobiça, o rancor, a vingança etc.

Pode parecer óbvio, mas nossa capacidade de distinção entre valores e antivalores sempre esteve ameaçada. Afinal, quer queiramos, quer não, a ambiguidade faz parte da condição humana. Tudo em nós é ambíguo: pode ser usado para o bem ou para o mal. Para piorar as coisas, no mundo atual existe uma forte tendência para "abrir as porteiras" e partir da premissa de que tudo deve ser permitido em nome das liberdades individuais. Esse é um alto risco que corremos, porque, como sempre enfatizo, ninguém pode ser livre senão próximo do amor de Deus. "Todavia, Deus, que é rico em misericórdia, pelo grande amor com que nos amou, deu-nos vida com Cristo quando ainda estávamos mortos em nossas transgressões — pela graça é que fostes salvos!" (Ef 2, 4-5).

Para completar, na sociedade secularizada, Satanás está em seu território favorito, para não dizer em sua "casa". Como registrou São João em sua primeira Epístola: "Nós sabemos que somos de Deus e que o mundo inteiro está sob o poder do Maligno" (Jo 5, 19). Além disso, ele conta com a vantagem de conseguir passar despercebido, tanto pelo questionamento de sua existência como pela postura equivocada de subestimar o seu poder, mesmo que este seja limitado.

Insisto: o Inimigo existe e é, sim, uma das fontes poderosas da maldade difundida no mundo, lembrando que ele age com duas fontes: nós mesmos, com nosso egoísmo, e o mundo, com suas seduções.

Influências maléficas sobre os mais jovens

Ultimamente, temos nos assustado com os atos de violência extrema praticados por jovens, adolescentes e até crianças. Quando nos deparamos com essa triste realidade, ficamos perplexos e questionamos: uma criança pode ser influenciada pela ação do Maligno?

A resposta é "sim". Afinal, não podemos esquecer que todos nós nascemos com a herança do pecado. Mesmo que ainda não se tenha cometido qualquer ato pecaminoso, pertencemos a uma raça decaída (cf. Rm 5, 1-14). Além disso, o Inimigo não poupa ninguém e, como já vimos, seu principal alvo é a família.

A verdade é que a mente das crianças é extremamente ativa, desde muito cedo. É suscetível a todo tipo de influência externa. Certamente, a sociedade se modernizou, todos temos mais acesso ao conhecimento e às informações, mas o Inimigo também não ficou para trás. Inteligente, astuto, perverso e sedutor, ele faz uso até mesmo dos meios de comunicação com o intuito de oferecer instrução enganosa e contrária à vontade e à Palavra de Deus, desviando assim nossas crianças e adolescentes para o caminho do mal.

São João Bosco nos alerta: "O mesmo acontece com a conversação obscena. Uma palavra, um gesto, um gracejo basta para ensinar a malícia a um ou também a muitos meninos, os quais, tendo vivido até então como inocentes cordeirinhos, por causa daquelas conversas e maus exemplos perdem a graça de Deus e se tornam infelizes escravos do Demônio."

Nossos jovens estão muito expostos a uma influência terrível e nunca antes imaginada. Essa influência implanta na mente em formação a ideia de uma vida descompromissada e regida por antivalores como o sexo fácil, a superficialidade — o tal do "ficar", por exemplo —, o prazer pelo prazer, o imediatismo e uma série de comportamentos contrários à Palavra de Deus, à família, à moral e à dignidade humana. De pronto, não conseguimos ter uma percepção clara dessa influência, porque ela ocorre em "doses homeopáticas": um pouquinho a cada dia. O mal vai se instalando a médio e a longo prazos, mas os efeitos são catastróficos. Quando a gente desperta, o estrago está feito. Muitas vezes, as medidas para reverter o quadro são tomadas tarde demais, em parte por negligência dos próprios pais e educadores, que não raro transferem essa responsabilidade para a escola e até para a mídia.

Dois jovens que frequentam minha paróquia começaram a namorar muito precocemente: a menina tinha apenas treze anos e o rapaz, dezesseis. A mãe da jovem, muito liberal, permitia que dormissem juntos em sua casa, e o quadro evoluiu, assim, para uma situação de gravidez. Quando fui consultado, recomendei aos pais que dessem apoio, mas não os obrigassem a casar, pois eram muito imaturos para empreenderem um passo tão sério e indissolúvel. Neste caso, felizmente os jovens puderam contar com toda a assistência de ambas as famílias e dar prosseguimento aos estudos, preparando-se adequadamente para o mercado de trabalho. Mas, quando isso não ocorre, a realidade que prevalece é a do infortúnio de duas crianças cuidando de um bebê.

Certamente, não se trata de prender os filhos numa redoma, mas também não se deve permitir que apreendam informações sem nenhum critério, achando que, ao crescerem, o bem predominará e o mal desaparecerá. Infelizmente, por causa dos apelos mundanos, o mal aumenta e se sobressai ao bem. Por isso, os pais precisam se fazer presentes, acompanhando e monitorando os filhos nesse contato com o mundo exterior, desde as companhias escolhidas até o acesso à TV, às redes sociais e a outros veículos de difusão de tendências.

Pode parecer exagero, mas não é. Um simples desenho animado em que a personagem tenha um comportamento mimado, egoísta, prepotente e sem educação pode influenciar o comportamento de uma criança em formação, conforme atestam profissionais da área. A criança rebelde, se não for corrigida, torna-se aquele adolescente incontrolável, que por sua vez resultará em um adulto inconsequente e, por vezes, violento, capaz de praticar crueldades e crimes contra amigos e até contra os próprios pais. São inúmeros os casos chocantes dos quais tomamos conhecimento e que envolvem agressões e assassinatos em família. A tal ponto chegamos que esse tema já é tratado de forma corriqueira pelo noticiário.

Para completar, cito como exemplo certo jogo disponibilizado via internet, com desafios a serem cumpridos que vão desde assistir a filmes de terror de madrugada até a prática do suicídio, passando por métodos violentos de automutilação. Infelizmente, isso ocorreu até mesmo dentro da comunidade da qual faço parte, quando uma criança da catequese foi desafiada a se mutilar com uma navalha e acabou colocando a própria vida em risco. Se esse jogo não é algo desenvolvido por uma mente diabólica, não consigo imaginar mais nada que o seja.

Como afastar os filhos do mal e direcioná-los para o caminho do bem

Já alertei que não é possível isolar completamente os filhos do mundo lá fora, mas isso não isenta os pais da responsabilidade de formá-los e discipliná-los para que possam se desenvolver com a aptidão de filtrar e descartar o que não presta. Seu papel, enquanto educadores, é o de formar indivíduos capazes de lidar com toda e qualquer situação sem se deixar dominar pelas influências maléficas.

Tem se falado muito sobre impor limites. Mas estes precisam ser legitimados por uma justificativa. Explicar a razão do "não" tem o efeito providencial de ensinar a criança a lidar com as frustrações, porque, ao longo da vida adulta, encontramos muitas situações igualmente contrárias às nossas vontades.

Muitos podem pensar: "Lá vem o padre dar 'pitaco' na educação do meu filho, quando nem filho ele tem! O filho é meu e vou educá-lo como eu quiser." Errado! O sacerdote é um instrumento da vontade de Deus, que por sua vez tem tudo a ver com os objetivos da Criação. Os filhos são, na verdade, um valioso tesouro, um diamante bruto que Deus confiou aos pais para serem lapidados e preparados de forma a se tornarem pessoas de boa vontade e virtuosas, aptas a produzir mais e melhor para o Reino de Deus e para a sociedade.

Como afirma o *Livro dos provérbios*: "Ensina a criança no caminho que deve andar, e mesmo quando for velho não se desviará dele" (Pr 22, 6). O mesmo sentido encontramos no ditado popular: "É de pequeno que se torce o pepino." De fato, as instruções que recebemos na infância são determinantes para a formação do nosso caráter.

Embora a compreensão e o discernimento de uma criança sejam limitados, sua capacidade de percepção e de assimilação de conteúdos é privilegiada. Não é à toa que essa é a melhor fase para se aprender outro idioma, por exemplo. A mente infantil funciona como uma esponja, absorvendo tudo o que está à sua volta, tanto para o bem quanto para o mal. E, enquanto protelamos equivocadamente ensinamentos e correções de comportamento, acreditando que os pequenos não têm condições de entendê-los, o Inimigo trabalha num terreno extremamente fértil.

Desde a tenra idade, as crianças aprendem observando atentamente o exemplo dos pais. Por isso, é importante investir nos primeiros anos de vida dos filhos, apresentando a eles valores e limites que irão moldar seu caráter na vida adulta. Esse tempo também é essencial para estabelecer vínculos de afeto e de confiança essenciais para a vida em família.

A missão de educar um ser humano pode ser comparada a um caminho desafiador e emocionante que pais e filhos percorrem juntos. Os pais não podem simplesmente dizer ao filho: "Siga sozinho e nos encontramos lá na frente." Esse percurso deve ser tutelado e, sobretudo, feito de mãos dadas, lado a lado, com os mais experientes encorajando os novatos a seguirem adiante.

Isso exige paciência e, como já mencionei, não deve ser delegado à escola e tampouco à Igreja. Como afirmou o Papa Francisco: "Os pais não devem se autoexcluir e se autoexilar da educação dos filhos, mas reapropriar-se do seu papel insubstituível" (*Audiência geral* de 6 de janeiro de 2016).

Vale reforçar que a vida espiritual das crianças é igualmente influenciada por instruções e exemplos recebidos. Então, quanto mais elas puderem acompanhar os pais vivenciando a Palavra de Deus, maior será a tendência de seguirem o mesmo caminho. De nada adianta recomendar "Faça suas orações" ou "Vá à Missa" se o filho nunca vê o pai rezando nem o acompanha à Igreja. Segundo o *Catecismo da Igreja Católica*: "Pela graça do sacramento do matrimônio, os pais receberam a responsabilidade e o privilégio de evangelizar os filhos. Por isso, os iniciarão desde a tenra idade nos mistérios da fé, da qual são para os filhos os 'primeiros arautos'. Associá-los-ão desde a primeira infância à vida na Igreja. A experiência da vida em família pode alimentar as disposições afetivas que por toda a vida constituirão autênticos preâmbulos e apoios de uma fé viva" (2225).

Sempre aconselho aos pais que deem testemunho de fé para os filhos desde o berço, "plantando" já na primeira infância devoções, valores e o temor a Deus. A experiência ensina que, cedo ou tarde, a semente germinará e os frutos virão.

Talvez, ao verem o filho na adolescência e na juventude, os pais se desesperem com as mudanças e revoltas que eles manifestam, mas os valores que foram plantados criaram raízes e, mesmo que pareçam ceifados durante algum tempo, em uma primavera próxima brotarão viçosos e renovados. Além disso, os avôs e avós, que são pais e mães duas vezes, ao perceberem que a dimensão religiosa está defasada na educação dos netos, devem suprir essa deficiência. Toda a família também tem como missão ser "propagadora da fé".

Inspire-se no exemplo da Santíssima Trindade para combater o Inimigo

A relação entre os membros de uma família deve se inspirar na harmonia existente entre as pessoas da Santíssima Trindade. A figura paterna, por exemplo, tem muita responsabilidade na internalização dos valores que emanam dos ensinamentos de Deus Pai. Não por acaso, é muito comum que os filhos que não se afinam bem com o pai tenham dificuldade de aceitar o amor de Deus. Como um filho vai acreditar que o Pai que está no Céu é justo, bom, misericordioso e paciente quando o pai da Terra, a quem ele tem como referência, não é nada disso?

Ser espelho para os filhos nem sempre é uma tarefa fácil, uma vez que eles observam de perto tanto as virtudes como as falhas dos pais. Então, na condição de educador, examinar a si mesmo é o primeiro passo para afastar a contradição e a abertura de uma brecha para o Inimigo agir.

Para evitar que os filhos sejam desencaminhados e para ensiná-los a aceitar o que é verdadeiro e certo, é preciso que o Inimigo não encontre pontos nebulosos para fazer proliferar a escuridão e cegar as mentes (2 Cor 4, 4). Santo Afonso Maria de Ligório ressalta essa responsabilidade em uma frase: "Como poderão os filhos ser bons, se os pais não prestam? Só por milagre." Já São Paulo resume a mesma lógica em poucas palavras: "Ora, tu, que ensinas aos outros, não ensinas a ti mesmo! Pregas que não se deve furtar, e furtas! Proíbes o adultério, e cometes adultério! Abominas os ídolos, e despojas seus templos! Tu, que te glorias na Lei, estás desonrando a Deus pela transgressão da Lei" (Rm 2, 21-23).

Impor limites, desempenhar uma vigilância saudável, estabelecer tarefas — todas essas atitudes são necessárias. Se hoje os filhos estão preguiçosos, mais tarde isso pode se tornar um vício, e, portanto, a melhor conduta é estimulá-los desde cedo a realizarem pequenos serviços. É claro que ninguém vai mandar uma criança carregar pedra ou lavar um tanque de roupas sujas, mas guardar os próprios brinquedos e manter o seu espaço limpo e bem-arrumado, por exemplo, são atribuições que não tiram pedaço e ajudam a desenvolver o senso de responsabilidade. A ludicidade e o entretenimento são muito bem-vindos na infância, mas também cabe aos pais estabelecer uma rotina saudável de afazeres e obrigações. Lembremo-nos de que, em qualquer idade, mãos e mentes ocupadas não têm tempo para dar ouvidos à tentação insinuada pelo Inimigo. São João Bosco dizia: "Onde existe trabalho, não está o Demônio."

Outro ponto fundamental é saber corrigir. Bater em uma criança para tentar educá-la, além de ser um crime previsto no Estatuto da Criança e do Adolescente, é um abuso de força. Ao contrário de educar, atenta contra a integridade física e a dignidade dos pequenos. O importante não é ter medo dos pais, e sim respeitá-los. São Paulo recomenda: "Pais, não deis a vossos filhos motivo de revolta contra vós, mas criai-os na disciplina e na correção do Senhor" (Ef 6, 4). E a correção do Senhor é fraterna, alicerçada no amor e no respeito, não na ira. Citando novamente um conselho de Santo Afonso Maria de Ligório: "Tome-se como regra nunca pôr as mãos num filho enquanto dura a ira ou cólera; espere-se até que se tenha aquietado por completo."

Resumindo tudo o que foi exposto, na educação dos filhos é fundamental que os pais se façam presentes e dediquem boa parte do seu tempo para estar em família, mesmo que isso pareça difícil por causa do trabalho. Fiquei comovido ao assistir a um vídeo que está disponível no YouTube e no qual se pergunta a alguns pais e filhos quem eles convidariam para jantar. Enquanto os pais citam nomes de celebridades, nenhum dos filhos menciona alguém famoso ou de fora do ambiente familiar restrito, mas apenas aqueles com quem dividem a mesma casa, ou seja, o pai e a mãe, o que deixa evidente a falta de convívio no dia a dia.

Por outro lado, como alertou o Papa Francisco, "estar presente não significa ser controlador". Isso pode acabar anulando a capacidade de iniciativa dos filhos. Nesse caso, quando eles tiverem de enfrentar uma situação difícil sozinhos, serão incapazes de pensar, decidir e agir por si mesmos.

Por fim, meus queridos pais, ressalto que cabe a vocês formarem seus filhos para serem discípulos de Jesus e, assim, vencerem o combate contra o mal que tenta perverter e roubar a inocência de nossas crianças.

Para rezar

Salmo 126 (127)

Ant.: Ó, Senhor, construí a nossa casa, protegei os nossos filhos!

Se o Senhor não construir a nossa casa,
em vão trabalharão seus construtores;
se o Senhor não vigiar nossa cidade,
em vão vigiarão as sentinelas!

É inútil levantar de madrugada,
ou à noite retardar vosso repouso,
para ganhar o pão sofrido do trabalho,
que a seus amados Deus concede enquanto dormem.

Os filhos são a bênção do Senhor,
o fruto das entranhas, sua dádiva.
Como flechas que um guerreiro tem na mão,
são os filhos de um casal de esposos jovens.

Feliz aquele pai que com tais flechas
consegue abastecer a sua aljava!
Não será envergonhado ao enfrentar
seus inimigos junto às portas da cidade.

Glória ao Pai, ao Filho e ao Espírito Santo.
Como era no princípio, agora e sempre. Amém.

Oração

A Virgem Maria preserve todos nós
e nossas famílias de todo ataque do Maligno: físico, mental e espiritual;
e interceda junto a Seu Filho Jesus, cujo sangue redimiu o mundo
e sob cuja Palavra de vida todo joelho se dobra submisso
no Céu, na Terra e debaixo da Terra.
A Virgem Imaculada afaste as insídias das trevas,
cuja falsa força se quebra impotente contra seu manto bendito,
sob o qual todo filho se abriga.
Amém.

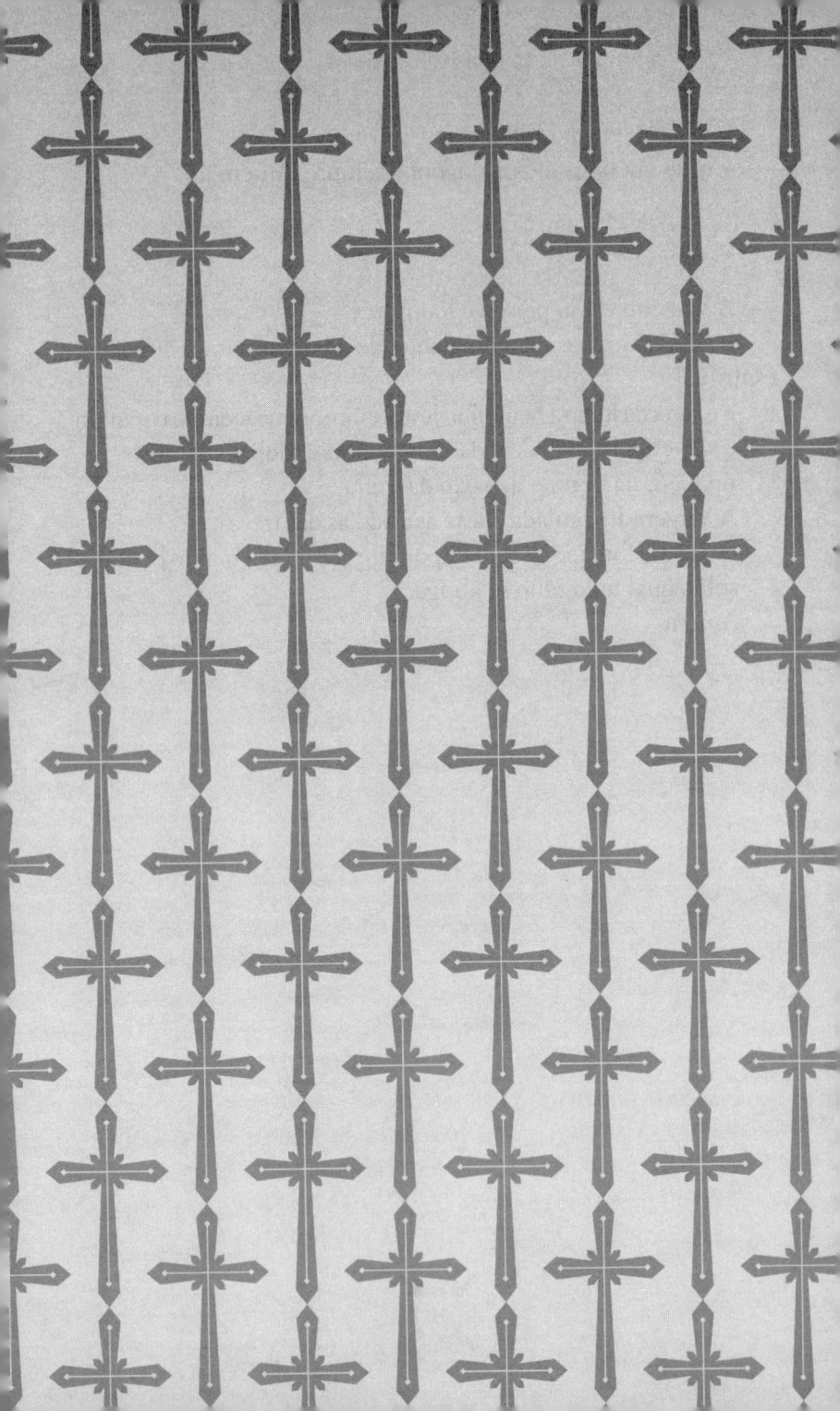

Capítulo 3

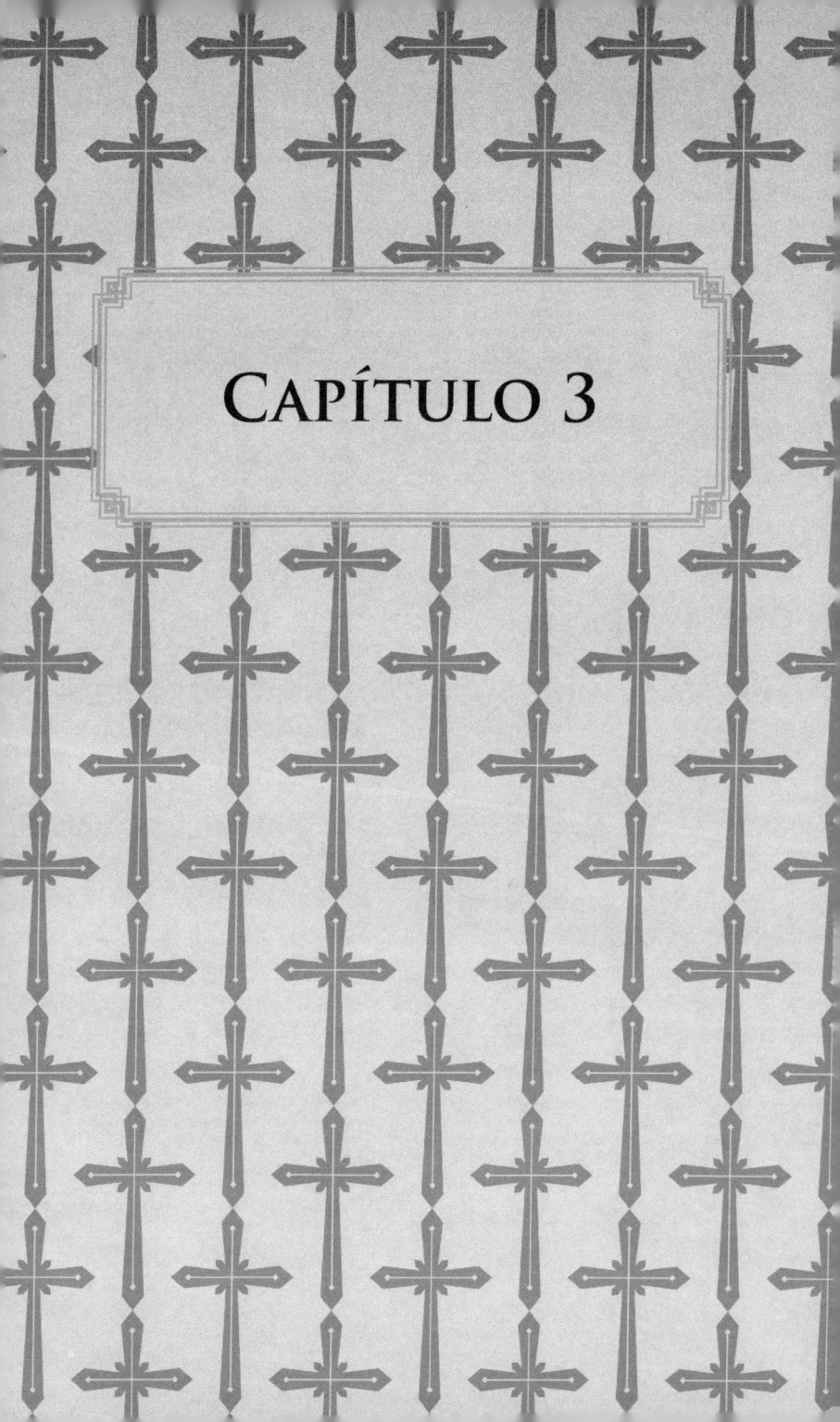

Vencendo o combate no ambiente de trabalho

Em geral, todos nós passamos boa parte do tempo em nosso local de trabalho. Independentemente da área de atuação, trata-se de um período em que nos relacionamos com pessoas diferentes, todas elas pressionadas para atingirem os melhores resultados. E, para que possamos corresponder ao esperado e garantir que o trabalho seja executado de maneira satisfatória, é essencial que o ambiente seja saudável e harmonioso.

Infelizmente, nem sempre nos deparamos com uma situação favorável. Disputas internas, disse me disse e puxadas de tapete são práticas corriqueiras no campo profissional. Quem já não passou por isso pelo menos uma vez que me desminta! Nessas zonas obscuras do ambiente de trabalho, Satanás encontra um campo fértil para operar. Mas enganam-se aqueles que pensam que ele age apenas arregimentando a ação de terceiros contra nós. Em boa parte dos casos, nós mesmos nos deixamos cair em suas emboscadas.

Cuidado com as artimanhas de Satanás

Um bom exemplo vem das pessoas que se corrompem e passam a agir movidas pela ganância e pela cobiça. Nesse caso, a relação com o trabalho e com o dinheiro se torna tão doentia que elas chegam mesmo a esquecer todos os bons princípios. Acabam tramando contra os outros para levarem vantagem e agem com desonestidade para obterem cada vez mais privilégios.

Outro tipo de armadilha — uma armadilha que não é tão predadora, mas nem por isso deixa de ser perigosa — é fazer do trabalho a prioridade máxima da vida. Sim, não podemos negar a necessidade de trabalhar para garantir o próprio sustento e o sustento dos dependentes, mas há limites. Dedicar-se ao ofício escolhido de forma obsessiva, fazendo do trabalho uma espécie de deus, um ídolo que passa a absorver toda a atenção do indivíduo a ponto de ele negligenciar a família e a própria fé, não é uma conduta cristã, mesmo quando se age com honestidade. São Paulo Apóstolo alerta: "Pois nós nada trouxemos para o mundo nem coisa alguma dele podemos levar. Se, pois, temos alimento e vestuário, contentemo-nos com isso. Ora, os que querem se enriquecer caem em tentação e cilada, bem como em muitos desejos insensatos e perniciosos que mergulham os homens na ruína e na perdição. Porque a raiz de todos os males é o amor ao dinheiro, por cujo desejo alguns se afastaram da fé e a si mesmos se afligem com múltiplos tormentos" (1 Tm 6, 7-10).

Vivemos em tempos de crise e incertezas, mas isso não pode ser uma desculpa para uma busca desenfreada por acúmulo de bens. Jesus nos orientou que para cada dia bastam suas dificuldades (cf. Mt 6, 34).

Tenho repetido com frequência que querer uma condição financeira melhor, capaz de proporcionar conforto para a família, não é, de forma alguma, pecado. O que faz pecar é a avareza, de um lado, e a cobiça, de outro. Muitos passam a vida toda trabalhando e acumulando, mas não chegam a usufruir de nada. É como na parábola que Jesus conta: "A terra de um rico produziu muito. Ele, então, refletia: 'Que hei de fazer? Não tenho onde guardar minha colheita.' Depois, pensou: 'Eis o que vou fazer: vou demolir meus celeiros, construir maiores, e lá hei de recolher todo o meu trigo e os meus bens. E direi à minha alma: Minha alma, tens uma quantidade de bens em reserva para muitos anos; repousa, come, bebe, regala-te.' Mas Deus lhe diz: 'Insensato, nessa mesma noite ser-te-á reclamada a alma. E as coisas que acumulaste, de quem serão?' Assim acontece àquele que ajunta tesouros para si mesmo, e não é rico para Deus" (Lc 12, 15-21).

Além disso, uma das coisas que mais contamina o ambiente de trabalho é a fofoca. Essa prática, quando associada à difamação ou à maledicência, é também um dos instrumentos de Satanás.

Uma vez propagadas, as palavras não podem ser recolhidas e, muitas vezes, prejudicam a vida de terceiros. Por mais que se tente esclarecer, é difícil reverter os efeitos e as dúvidas que a fofoca maliciosa provoca. E se engana quem pensa que ouvir uma fofoca não é tão grave quanto espalhá-la. Só é possível difamar uma pessoa porque a difamação encontra, em seu caminho, quem lhe dê ouvidos. Por isso, é um dever cristão ter a coragem de dizer: "Desculpe, mas eu não estou interessado nesse assunto." O *Livro dos provérbios* deixa claro: "O mau fica atento aos lábios perniciosos; o mentiroso dá ouvidos à língua perversa" (Pr 17, 4).

O problema é que ficamos curiosos querendo saber das fraquezas dos outros, e assim vamos logo os condenando com base no que ouvimos falar. Definitivamente, isso não é cristão. Se alguém errou, devemos agir como São Paulo nos ensina: "Irmãos, caso alguém seja apanhado em falta, vós, os espirituais, corrigi esse tal com espírito de mansidão, cuidando de vós mesmos, para que também vós não sejeis tentados" (Gl 6, 1).

A inveja constitui outro dos ecos diabólicos em nossa vida. Trata-se de um pecado capital que está presente em todos os grupos, mas que com certeza bate ponto todos os dias no ambiente de trabalho. Com muita frequência, recebo no meu site partilhas de pessoas que se sentem ameaçadas ou prejudicadas por causa desse mal e pedem orações para proteção contra a fofoca. Uma esposa, por exemplo, relatou que o marido estava com depressão porque fora alvo de fofoqueiros, caluniadores e invejosos no seu local de trabalho. Ele já não sabia o que fazer, pois precisava do emprego, mas tinha medo da proporção que o falatório poderia tomar, instigado por um novo comentário maldoso e inverídico a cada dia.

Essa situação fez com que eu me lembrasse das palavras do Papa Francisco dirigidas à Guarda Vaticana, mas que servem para todos os ambientes de trabalho: "Peço-lhes não só para defenderem as portas, as janelas do Vaticano — um trabalho necessário e importante —, mas para defenderem com vosso padroeiro, São Miguel, as portas do coração de quem trabalha no Vaticano, onde a tentação entra exatamente como em todas as partes. Mas há uma tentação de que o Diabo gosta muito: aquela que vai contra a união de quem trabalha e vive no Vaticano. O Diabo tenta criar uma guerra interna, uma espécie de guerra civil e espiritual. É uma guerra que não é feita com as armas que nós conhecemos: é feita com a língua" (*Homilia para a Guarda Vaticana*, 28 de setembro de 2013).

O coração do invejoso é egoísta. Mais daninha que a cobiça, que se limita a desejar aquilo que o outro tem, a inveja consiste em querer o fracasso de quem está na sua mira. Por mais difícil que seja admitir, esse sentimento é inerente à condição humana e se alimenta de fragilidades íntimas que tentamos camuflar, como a autoestima baixa, o medo e a insegurança. E, como o Inimigo é astuto, a inveja está entre suas armas preferidas, pois tem um efeito altamente corrosivo. "Um coração tranquilo é a vida do corpo, enquanto a inveja é a cárie dos ossos", diz o *Livro dos provérbios* (14, 30).

Muitas vezes, o mal da inveja se manifesta na tristeza sentida diante do êxito ou do bem-estar de outra pessoa e no desejo incontrolável de se apropriar disso. Trata-se de um sentimento amargo de desgosto em relação às vitórias, às conquistas, à felicidade ou, simplesmente, ao jeito de ser daquele que é invejado. Como já expliquei, não bastasse o incômodo provocado pelo que o outro é ou realiza, o invejoso ainda trabalha para a perda ou a destruição dessa condição, tramando, sabotando, inventando calúnias e mentiras, bem como fazendo intrigas até prejudicar seriamente aquele que é alvo da sua inveja.

Devemos entender que admirar a beleza, o sucesso e a inteligência alheia, esforçando-se para também alcançá-los, não significa ter inveja. Para que ela se configure, os comportamentos e subterfúgios mencionados devem estar presentes.

É muito importante ressaltar que, além de rezar pela nossa proteção individual, também devemos dedicar orações aos próprios invejosos, pedindo a Deus que os libertem desse sentimento. Na verdade, por mais que a inveja atinja aquele que é invejado, ela traz prejuízos ao próprio invejoso, tornando-o prisioneiro de suas amarguras e impedindo seu crescimento espiritual.

Agora, se esse sentimento maléfico estiver em nós, é fundamental termos consciência dele e aprendermos a usá-lo a nosso favor, como motivação para o aprimoramento pessoal e profissional, partindo do princípio de que, se nos esforçarmos, também poderemos atingir nossas metas. Isso pode nos forçar a sair da zona de conforto e avançar para muitas conquistas e realizações.

Armas para vencer o combate

Para neutralizar a influência do Inimigo no ambiente de trabalho, uma das armas mais eficazes é cultivar a boa e velha *paciência*. Precisamos contar até dez, cem e, às vezes, mil para não estourar. Ter *paciência* ajuda a captar e preservar bons relacionamentos, além de promover a tranquilidade no dia a dia das atividades profissionais. "Mais vale um homem lento para a ira do que um herói, e um homem senhor de si do que o conquistador de uma cidade" (Pr 16, 32).

Outra maneira de vencer o combate é exercitar a *bondade*. Afinal, ser receptivo e gentil não custa nada. Ter cautela com o uso das palavras, demonstrar interesse, celebrar pequenas vitórias e compartilhar o que for positivo são atitudes que fazem toda a diferença no convívio com os colegas de trabalho e nos aproximam muito mais rapidamente daquilo que Deus reservou para nós.

Faço questão de citar ainda outras "qualificações" altamente poderosas, que deveriam servir de parâmetro para todas as contratações feitas pelo setor de recursos humanos das organizações.

Humildade: seja autêntico, simples, sem pretensão ou arrogância, e Satanás não conseguirá seduzi-lo com acenos de poder ou de riqueza material, nem fazê-lo valorizar estes aspectos acima de tudo, ignorando se para isso outras pessoas serão prejudicadas.

Respeito: trate os outros com cordialidade, usando sempre as palavras mágicas "por favor", "com licença" e "obrigado". Assim, o Inimigo não o fará perder o controle da situação nem deixar de medir as consequências dos seus atos.

Perdão: jamais guarde ressentimento, por maior que seja o mal que lhe fizeram. Evite, dessa forma, alimentar uma das principais portas de proliferação do mal, que é o desejo de vingança. Se alguém entupiu um dos poços que você estava cavando, siga em frente e cave outro (cf. Gn 26, 18-22).

Honestidade: seja transparente em suas atitudes e valorize, acima de tudo, a verdade, pois dessa forma o Inimigo encontrará um campo estéril para suas tentativas de enganar, ludibriar, iludir ou falsear.

Pode parecer contraditório, mas, também para ser o mais profissional possível e desempenhar bem as funções pelas quais somos remunerados, garantindo total produtividade e eficiência, temos de cuidar do nosso lado espiritual e recorrer às armas disponíveis nessa seara. Refiro-me à Armadura de Deus, que São Paulo nos recomenda e cujos acessórios encontram-se detalhados no livro *Batalha espiritual*. Ali, trato do cinturão da verdade, da couraça da justiça, do calçado do Evangelho, do escudo da fé, do capacete da salvação e da espada do Espírito, que é a Palavra de Deus. Tudo de acordo com o sexto capítulo da Carta aos Efésios.

Em geral, não temos como mudar as pessoas e tampouco controlar o que elas falam ou fazem, mas podemos mudar nossa maneira de enxergar e reagir a tudo o que nos cerca, conforme nos ensina esta parábola de autoria desconhecida:

Eis que certa vez um jovem dirigiu-se ao seu mestre com a seguinte indagação:

— Mestre, queria lhe perguntar algo: como faço para não me aborrecer com as pessoas? Algumas falam demais, outras são ignorantes. Algumas são indiferentes. Sinto-me mal com as que são mentirosas e sofro com as que caluniam.

— Pois viva como as flores — advertiu o mestre.

— Como é viver como as flores? — perguntou o discípulo.

— Repare nestas flores — continuou o mestre, apontando para os lírios que cresciam no jardim. — Elas nascem no esterco, entretanto são puras e perfumadas. Extraem do adubo malcheiroso tudo o que lhes é útil e saudável, mas não permitem que o azedume da terra manche o frescor de suas pétalas. É justo que você se angustie com as próprias culpas, mas não é sábio permitir que os vícios dos outros o importunem. Os defeitos deles são deles, e não seus. Se não são seus, não há razão para aborrecimentos. Exercitar, pois, a virtude é rejeitar todo mal que vem de fora. Aprenda a extrair somente o bem das pessoas, o que for útil e saudável, e você se manterá puro

e exalará um bom perfume; não permita se tornar azedo nem manche suas "pétalas". Isso é viver como as flores! Exale esse aroma!

Por fim, uma dica final e definitiva para vencer este combate: não deixe que as atitudes dos outros determinem a sua forma de agir. Cabe a cada um de nós criar o ambiente em que trabalhamos. Por isso, colabore com o que puder e faça sempre o seu melhor.

Para rezar

SALMO 120 (121)

Ant.: *Do Senhor é que vem o meu socorro.*

Eu levanto os meus olhos para os montes:
de onde pode vir o meu socorro?
"Do Senhor é que me vem o meu socorro,
do Senhor que fez o Céu e fez a Terra!"

Ele não deixa tropeçarem os meus pés,
e não dorme quem te guarda e te vigia.
Não, ele não dorme nem cochila,
aquele que é o guarda de Israel!

O Senhor é o teu guarda, o teu vigia,
é uma sombra protetora à tua direita.
Não vai ferir-te o sol durante o dia,
nem a lua através de toda a noite.

O Senhor te guardará de todo o mal,
ele mesmo vai cuidar da tua vida!
Deus te guarda na partida e na chegada.

Ele te guarda desde agora e para sempre!

Glória ao Pai, ao Filho e ao Espírito Santo.
Como era no princípio, agora e sempre. Amém.

Oração para proteção

(Atribuída a São Patrício)

Levanto-me, neste dia que amanhece,
por uma grande força, pela invocação da Trindade,
pela fé na Tríade,
pela afirmação da unidade
do Criador da Criação.

Levanto-me neste dia que amanhece,
pela força do nascimento de Cristo em Seu batismo,
pela força da crucificação e do sepultamento,
pela força da ressurreição e ascensão,
pela força da descida para o Juízo Final.

Levanto-me, neste dia que amanhece,
pela força do amor dos Querubins,
em obediência aos Anjos,
a serviço dos Arcanjos,
pela esperança da ressurreição e da recompensa,
pelas orações dos patriarcas,
pelas previsões dos profetas,
pela pregação dos apóstolos
pela fé dos confessores,
pela inocência das virgens santas,
pelos atos dos bem-aventurados.

Levanto-me neste dia que amanhece,
pela força do céu:
luz do sol,
clarão da lua,
esplendor do fogo,
pressa do relâmpago,
presteza do vento,
profundeza dos mares,
firmeza da terra,
solidez da rocha.

Levanto-me neste dia que amanhece,
pela força de Deus a me empurrar,
pela força de Deus a me amparar,
pela sabedoria de Deus a me guiar,
pelo olhar de Deus a vigiar meu caminho,
pelo ouvido de Deus a me escutar,
pela palavra de Deus que em mim fala,
pela mão de Deus a me guardar,
pelo caminho de Deus à minha frente,
pelo escudo de Deus que me protege,
pela hóstia de Deus que me salva
das armadilhas do demônio,
das tentações do vício,
de todos que me desejam mal,
longe e perto de mim,
agindo só ou em grupo.

Conclamo, hoje, tais forças a me protegerem contra o mal,
contra qualquer força cruel que ameace meu corpo e minha alma,
contra a encantação de falsos profetas,
contra as leis negras do paganismo,

contra as leis falsas dos hereges,
contra a arte da idolatria,
contra feitiços de bruxas e magos,
contra saberes que corrompem o corpo e a alma.

Cristo guarde-me hoje
contra veneno, contra fogo,
contra afogamento, contra ferimento,
para que eu possa receber e desfrutar a recompensa.
Cristo comigo,
Cristo à minha frente,
Cristo atrás de mim,
Cristo em mim,
Cristo embaixo de mim,
Cristo acima de mim,
Cristo à minha direita,
Cristo à minha esquerda,
Cristo ao me deitar,
Cristo ao me sentar,
Cristo ao me levantar,
Cristo no coração de todos os que pensarem em mim,
Cristo na boca de todos que falarem de mim,
Cristo em todos os olhos que me virem,
Cristo em todos os ouvidos que me ouvirem.

Levanto-me, neste dia que amanhece,
por uma grande força, pela invocação da Trindade,
pela fé na Tríade,
pela afirmação da Unidade,
pelo Criador da Criação.
Amém.

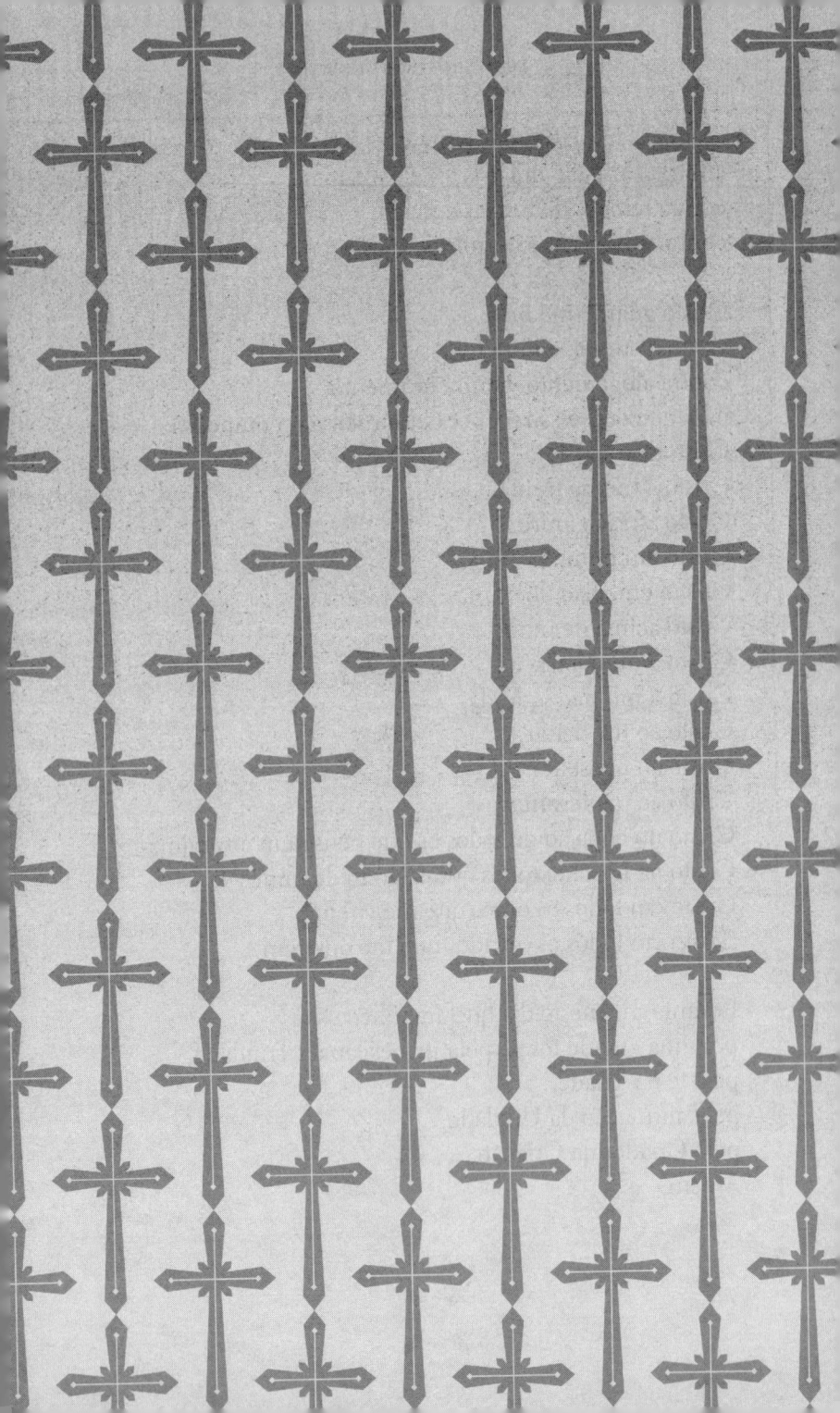

CAPÍTULO 4

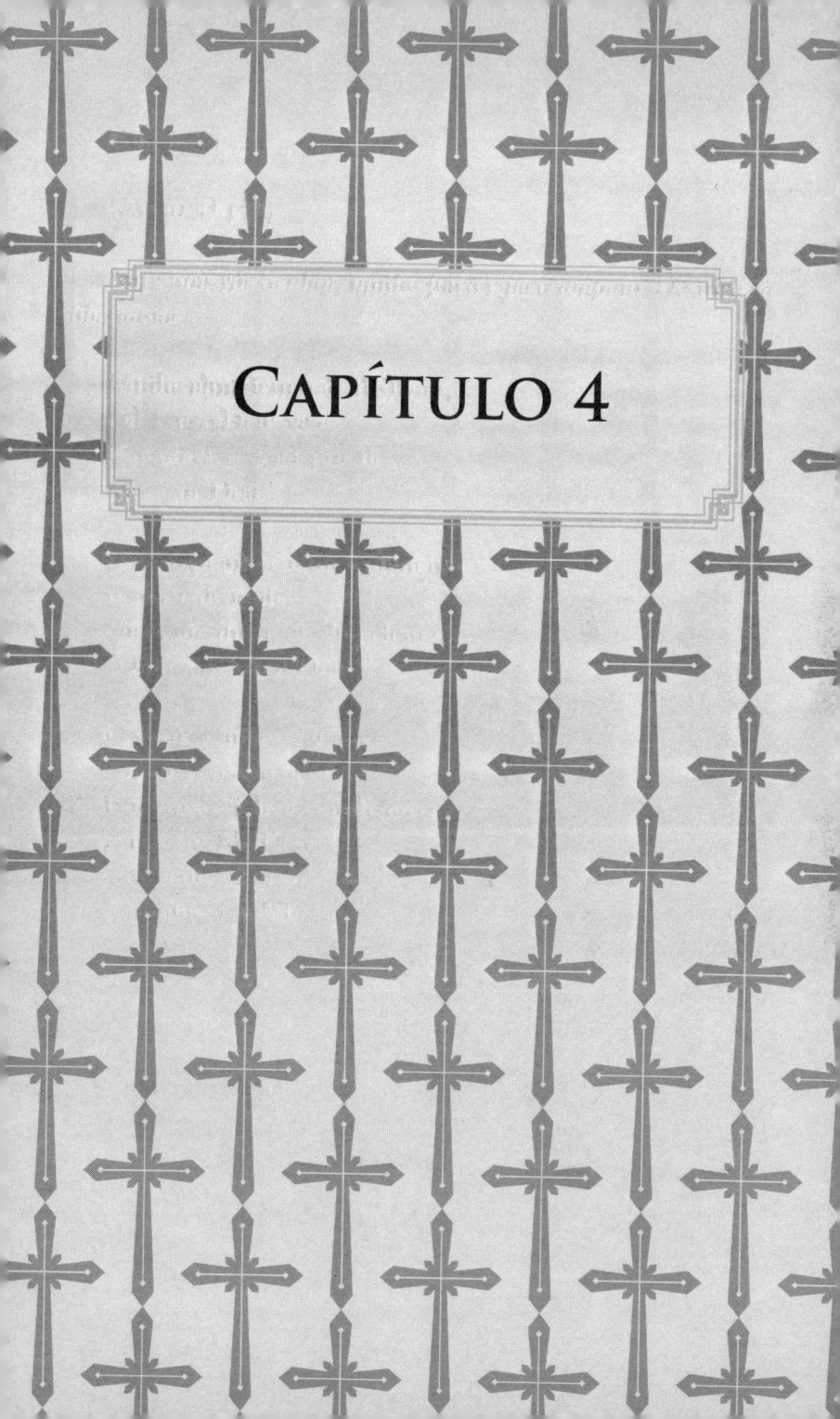

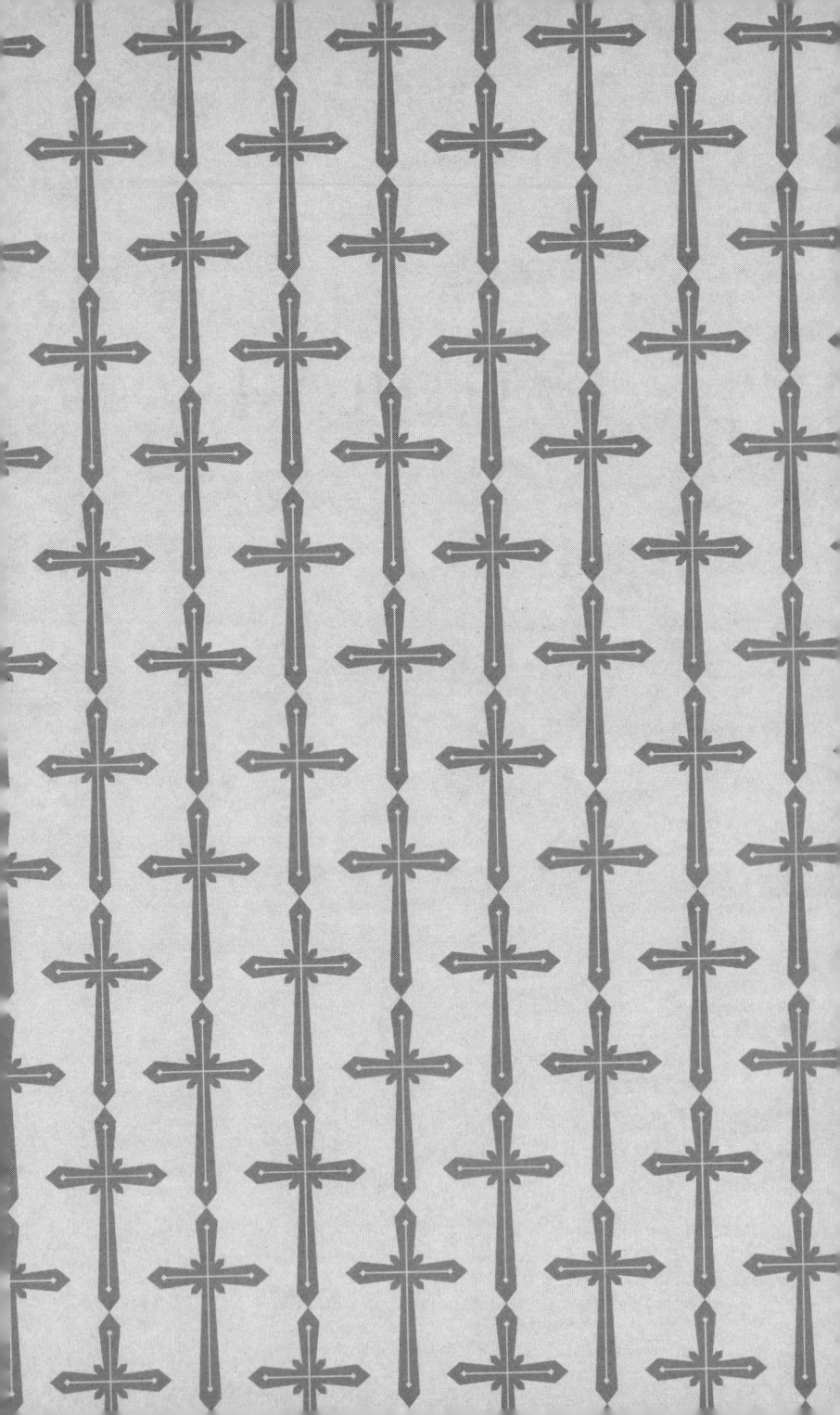

Vencendo o combate no namoro

Se há algum tempo buscássemos o significado da palavra "namoro", encontraríamos como definição o período que antecede o estabelecimento de um vínculo definitivo, no qual duas pessoas aproveitavam para se conhecer nos campos afetivo, social e também espiritual. Esse período levava a um amadurecimento da relação e à decisão de avançar cada vez mais, passando pelo noivado até chegar ao casamento.

Nos dias atuais, esse conceito tem sido violentamente deturpado. Sob o pretexto de uma vida moderna e livre de qualquer tipo de imposição, varreu-se completamente do mapa o simples hábito de namorar alguém. Não existe mais aquela romântica troca de olhares ou um convite tímido para ir ao cinema, que dirá um pedido oficial de namoro. Tudo isso está ultrapassado, e o que determina se duas pessoas estão juntas é a mudança no status do Facebook. E o pior é constatar que cada vez mais os relacionamentos chegam ao fim sem nenhuma cerimônia, às vezes com uma simples troca de mensagens pelo WhatsApp.

Para a geração de hoje, os relacionamentos começam cedo, ainda na adolescência. Nessa fase de hormônios e descobertas, há uma tendência à indução precoce do namoro e da sexualidade.

De repente, aquele filho que, aos olhos dos pais, ainda não passa de uma criança já está pensando em "pegar" na "balada" uma menina com quem mal trocou duas palavras.

Nesse novo contexto, muitos relacionamentos começam virtualmente, nos chamados chats. Não estou afirmando que esse tipo de contato não seja saudável, até porque conheço casais que se conheceram via internet, descobriram uma série de afinidades, partiram para um namoro "presencial" e hoje estão casados, com filhos, muito satisfeitos.

Por outro lado, também há, sim, muitos riscos para aqueles que, seja no ambiente virtual, seja no mundo real, partem para o "tudo ou nada" e acabam se tornando alvo preferencial das investidas do Inimigo.

Satanás não gosta de namoro e incentiva o "ficar"

Quando se trata dos mais jovens, existem situações perigosas que inspiram cuidado e acompanhamento mais próximo por parte dos pais. Um exemplo são os "predadores virtuais", que movidos pela perversidade insuflada no mundo por Satanás tentam atrair adeptos para práticas abomináveis, como fotos de nudez lançadas na internet, pedofilia etc. Mestre na arte de dissimular, o Inimigo sabe que, virtualmente, tudo pode ser simulado e dissimulado com facilidade, tornando esse ambiente o espaço ideal para mascarar todo e qualquer tipo de maldade sob a aparência de algo extremamente agradável e sem maiores consequências.

A orientação quanto a isso é tão fundamental como em outras áreas da vida dos filhos. Por isso, não pode haver, por parte dos pais, timidez ou hesitação em abordar tal assunto. Isso confere aos adolescentes discernimento, uma luz para entenderem seus sentimentos e os processos que acompanham a adolescência.

É preciso compreender que a Lei de Deus é imutável e inegociável. Não se modifica ao sabor das novas circunstâncias nem sucumbe a modismos. Os costumes podem ter mudado, é verdade, porém os princípios cristãos permanecem os mesmos, o que inclui, por exemplo, a noção de castidade. Trata-se de uma palavra antiga e que até já caiu em desuso, mas "ser casto" carrega consigo um dos mais belos sentidos de pureza — e não apenas física, mas sobretudo espiritual.

São Paulo nos lembra: "A vontade de Deus é que vivam consagrados a ele, que se afastem da libertinagem, que cada um saiba usar o próprio corpo na santidade e no respeito, sem deixar-se arrastar por paixões libidinosas como os pagãos que não conhecem a Deus" (1 Ts 4, 3-5).

Enquanto Deus nos quer santos, Satanás faz tudo para nos tornarmos impuros. E, para isso, nada melhor que estimular os jovens não apenas a terem relações sexuais cada vez mais cedo, mas também a tratarem a tudo e a todos como objetos descartáveis. Se observarmos bem, todas as campanhas educativas feitas tocam exclusivamente no ponto da preservação da saúde, o que é salutar; mas por que em nenhum momento se adverte que a permissividade total já é, em si, o maior de todos os riscos a que um ser humano pode se submeter? Esse é, sem dúvida, um dos véus lançados por Satanás sobre o nosso mundo, com o firme propósito de turvar nossa visão. Assim, gastamos todo o nosso tempo quebrando a cabeça para cuidar dos efeitos, mas não combatemos a causa de tantas vidas perdidas por doenças que podem ser evitadas simplesmente com uma mudança de comportamento.

Nesse cenário decadente criado pelo Inimigo, é tido como banal um adolescente dar início à sua vida sexual como quem compra um tênis de marca na loja dos seus sonhos. Podemos até afirmar que isso seja comum, mas, do ponto de vista cristão, fere gravemente os planos que Deus traçou para nós.

Como já expliquei antes, o sexo deve ser consequência do amor entre duas pessoas, e não apenas uma mera "transa" ou, como dizem os mais jovens, uma "ficada". Infelizmente, no mesmo instante em que se conhecem em uma balada, o rapaz e a moça "ficam" e, depois de algum tempo, nem se lembram da fisionomia do seu parceiro. Esses dias fiquei sabendo de um outro termo: trata-se de uma tal de "pegada", que consiste em sair beijando e "dando amassos" em quem aparecer pela frente, podendo até chegar às vias de fato, sem nenhum tipo de contato prévio e tampouco compromisso de um novo encontro. No universo dos adultos, por sua vez, também há quem mantenha abertamente relacionamento com duas ou mais pessoas ao mesmo tempo, desprezando qualquer tipo de vínculo afetivo ou espiritual.

Essas são tentações mundanas pelas quais Satanás está travando uma batalha feroz. Ele sabe que a sexualidade é uma das armas mais poderosas da sedução. Da maneira como ela está sendo vivenciada hoje, transforma-se em uma armadilha do Inimigo das almas, contrária ao Senhor e Sua Lei.

A firmeza de nosso propósito é a melhor arma para combater o Inimigo

A sexualidade é um dom, um presente de Deus, mas implica uma aprendizagem e, sobretudo, um esforço para ser vivenciada corretamente. Dominar os impulsos não é algo fácil e, nesse processo, há estágios de evolução.

Às vezes, uma determinada fase da vida é mais imperfeita e marcada pelo pecado, mas nem por isso devemos deixar de almejar a castidade. Mais do que um gesto físico, trata-se de uma virtude moral, uma obra espiritual, e como tal deve ser trabalhada diariamente por meio da oração e da vivência dos sacramentos. "O Espírito Santo concede o dom de imitar a pureza de Cristo" (1 Jo 3, 3).

Em outro texto, encontramos: "O fruto do Espírito é o amor, o gozo, a paz, a longanimidade, a fidelidade e a castidade" (Gl 5, 22).

Se a sexualidade desregrada é uma armadilha utilizada por Satanás, ela pode ser combatida à altura pela firmeza de nosso propósito. Não se trata de um simples jogo de palavras, mas de uma decisão nossa, íntima, sem segundas ou terceiras intenções e sem nenhum tipo de imposição externa. Fortalecidos pela fé, precisamos manter não somente o corpo, mas sobretudo a alma e o espírito puros. "Que a vossa moderação se torne conhecida de todos os homens. O Senhor está próximo" (Fl 4, 5).

Sabemos que não há como impor aos jovens essa reversão de valores, mas podemos tentar apresentar-lhes um caminho orientado pela Palavra de Deus, a fim de afastá-los das influências maléficas do Inimigo, mesmo que sejamos chamados de "quadrados".

O Papa Francisco, que cada vez mais nos surpreende com suas reflexões, tem consciência do quanto é exigente e complexa a missão de pastorear as ovelhas do rebanho de Cristo ainda em processo de formação. No seu encontro com jovens em Turim, ele fez uma explanação realista sobre o assunto, dizendo: "Não pretendo ser moralista, mas dizer uma palavra que não agrada, uma palavra impopular. Também o Papa algumas vezes deve arriscar sobre as coisas para dizer a verdade. O amor consiste nas obras, em comunicar, mas o amor é muito respeitador das pessoas, não as usa, isto é, o amor é casto. E a vós, jovens deste mundo, deste mundo hedonista, neste mundo onde só o prazer é publicitado, (…) eu digo-vos: sede castos, sede castos. Todos nós passamos por momentos na vida nos quais esta virtude é muito difícil, mas é precisamente a vida de um amor genuíno, de um amor que sabe dar a vida, que não procura usar o outro para o próprio prazer. É um amor que considera a vida da outra pessoa sagrada: eu respeito-te, não quero usar-te. Não é fácil. Todos sabemos as dificuldades para superar este conceito 'facilitador' e hedonista do amor. Perdoai-me se digo uma coisa que não esperáveis, mas peço-vos: fazei o esforço de viver o amor castamente!" (*Encontro com os jovens*, 21 de junho de 2015).

Nisso, o Sumo Pontífice ecoava um pensamento já enunciado por São João Paulo II: "Numa sociedade em que os slogans publicitários repetem sem cessar as palavras 'instantâneo', 'imediatamente', e em que queremos ter 'tudo e já', vejam bem que é preciso tempo para edificar a relação interpessoal de marido e mulher e que o teste do amor é o compromisso duradouro" (*Encontro com os jovens*, 15 de outubro de 1989).

Finalizo reforçando que o namoro é o tempo ideal para o casal se conhecer, ajustar diferenças de personalidade, estabelecer objetivos e planos futuros, preparando-se assim para o casamento. Não se deve pular etapas, porque o intuito do Inimigo é justamente nos fazer tropeçar e cair da fé, desviando-nos do caminho de Deus e da salvação. A castidade é um dom a ser vivido.

Para rezar

Salmo 16 (15)

Ant.: *Guardai-me, ó Deus, porque em vós me refugio!*

Guardai-me, ó Deus, porque é em vós que procuro refúgio.

Digo a Deus: Sois o meu Senhor,
fora de vós não há felicidade para mim.
Quão admirável tornou Deus o meu afeto
para com os santos que estão em sua terra.

Numerosos são os sofrimentos que suportam
aqueles que se entregam a estranhos deuses.

Não hei de oferecer suas libações de sangue
e meus lábios jamais pronunciarão o nome de seus ídolos.

Senhor, vós sois a minha parte de herança e meu cálice;
vós tendes nas mãos o meu destino.
O cordel mediu para mim um lote aprazível,
muito me agrada a minha herança.

Bendigo o Senhor porque me deu conselho,
porque mesmo de noite o coração me exorta.
Ponho sempre o Senhor diante dos olhos,
pois ele está à minha direita; não vacilarei.

Por isso meu coração se alegra e minha alma exulta,
até meu corpo descansará seguro,
porque vós não abandonareis minha alma na habitação dos mortos,
nem permitireis que vosso Santo conheça a corrupção.

Vós me ensinareis o caminho da vida,
há abundância de alegria junto de vós,
e delícias eternas à vossa direita.

Glória ao Pai, ao Filho e ao Espírito Santo.
Como era no princípio, agora e sempre. Amém.

Oração

Senhor Jesus, coloco-me diante de Ti,
tal como sou.
Sinto grande desgosto pelos meus pecados.
Arrependo-me dos meus pecados;

por favor, perdoa-me!
No Teu Nome, eu perdoo a todos
por tudo aquilo que fizeram contra mim.
Renuncio a Satanás, aos espíritos malignos
e a todas as suas obras.
Dou-me inteiramente a Ti, Senhor Jesus.
Agora e para sempre, convido-Te para a minha vida.
Jesus, aceito-Te como meu Senhor, Deus e Salvador.
Cura-me, transforma-me,
fortalece o meu corpo, a minha alma e o meu espírito.
Vem, Senhor Jesus, cobre-me com o Teu
precioso sangue, e enche-me do Espírito Santo.
Amo-Te, Senhor Jesus!
Louvo-Te, Jesus!
Dou-Te graças, Jesus!
Seguir-Te-ei em todos os dias da minha vida.
Amém.

Capítulo 5

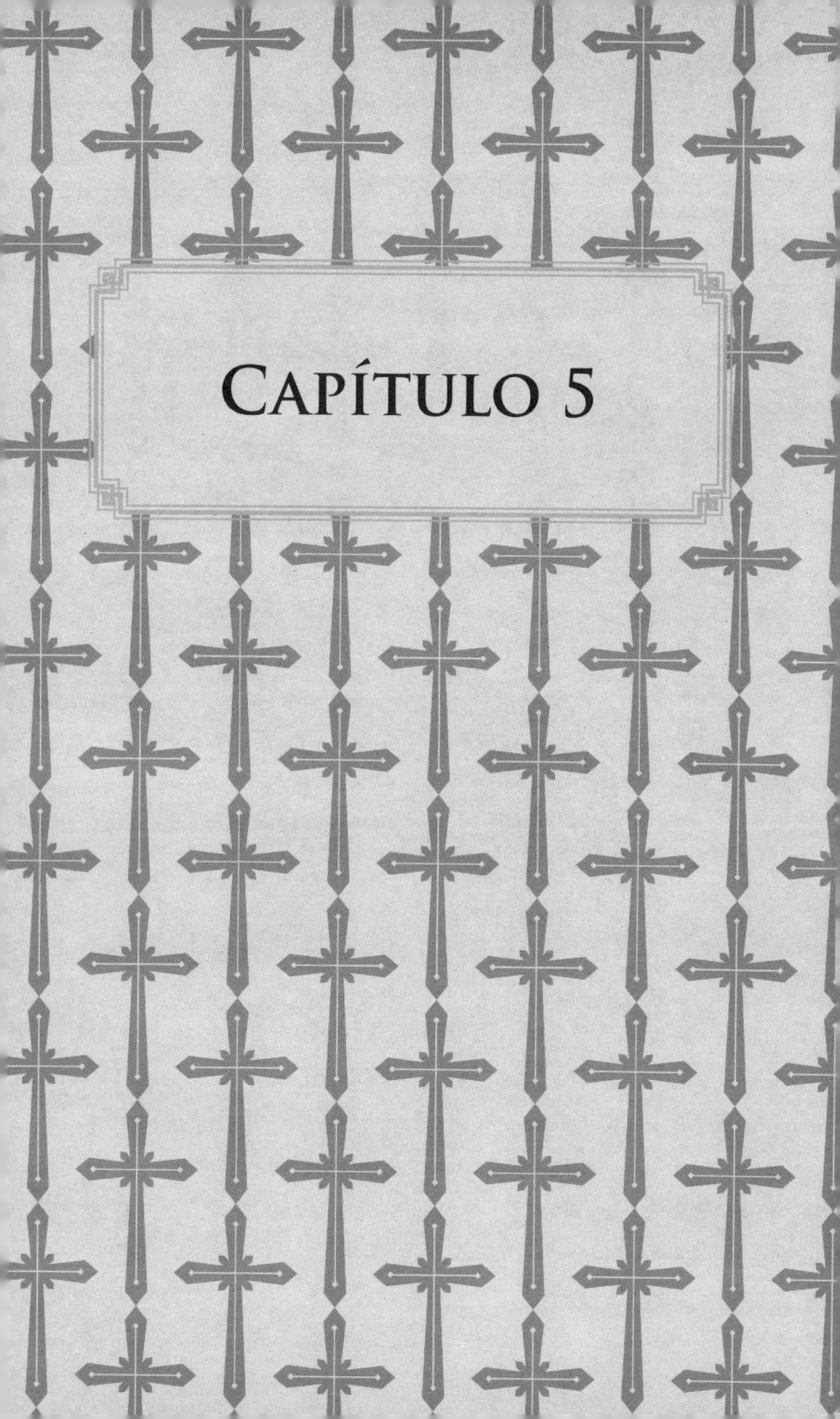

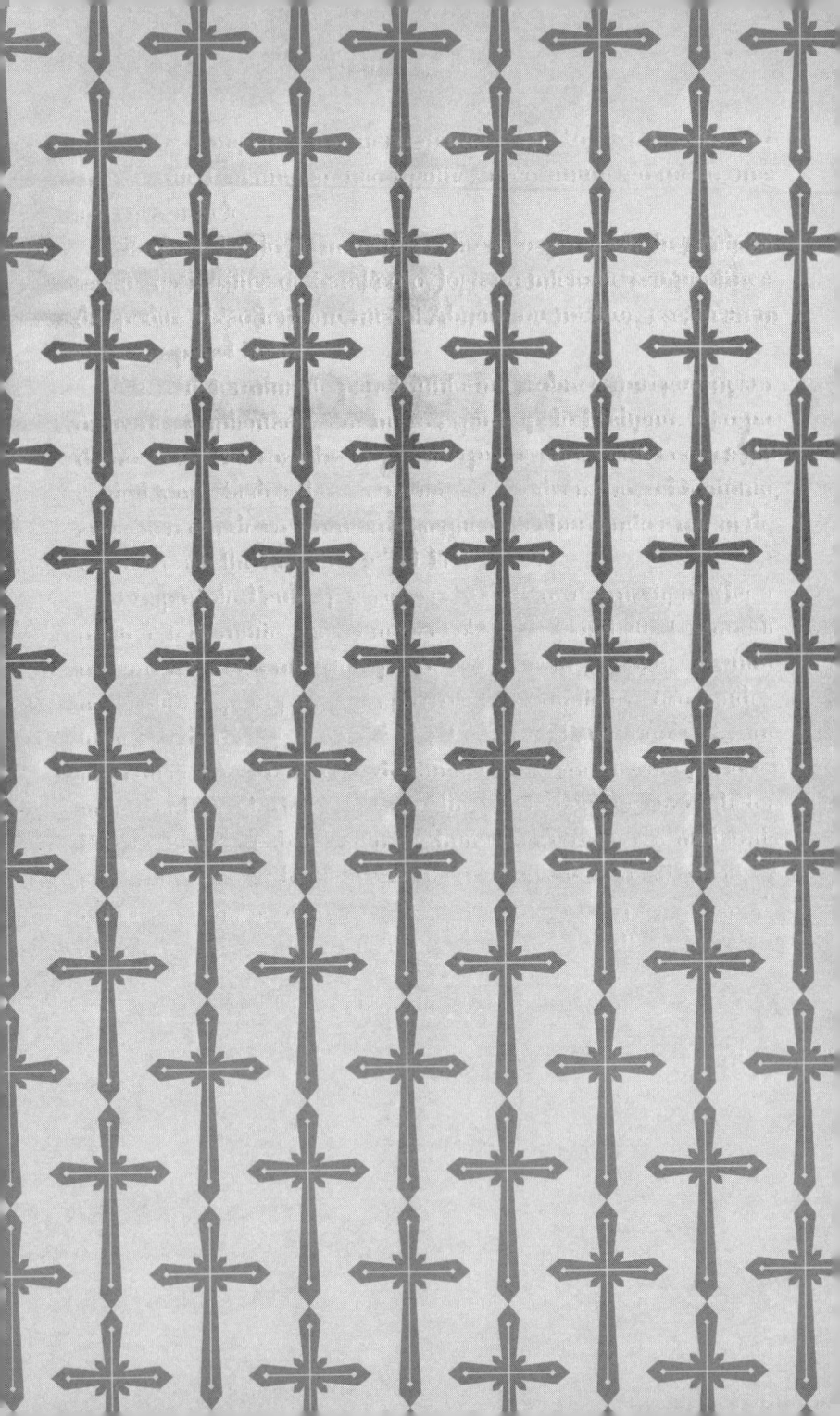

Vencendo o combate nas crises financeiras

Gostaria de iniciar este capítulo com uma solução pronta para o problema da crise financeira, considerando os altos índices de desemprego e as necessidades que muitos atravessam, mas não a tenho. Por outro lado, tenho convicção de que para Deus nada é impossível. Ele está sempre pronto a nos escutar e não é indiferente às contingências da nossa vida, especialmente aquelas que nos impõem maior dificuldade.

Também estou certo de que, quando Deus permite a ocorrência de uma provação, Ele está agindo unicamente como Pai zeloso, que utiliza esses desafios para nosso amadurecimento e para nos transmitir lições valiosas, porque nos ama. Como afirma a Carta aos Hebreus: "O Senhor corrige a quem ele ama e castiga a quem aceita como filho. E qual é o filho que não é corrigido pelo pai? Pelo contrário, se vocês não são corrigidos como acontece com todos, então vocês são bastardos e não filhos" (Heb 12, 6-8).

O que há de diabólico no seu revés econômico

As Sagradas Escrituras nos ensinam que circunstâncias adversas podem nos atingir por inúmeras razões, e uma das mais recorrentes são nossas próprias escolhas equivocadas. Nesse processo, a influência do Maligno merece especial atenção, porque é seu mister nos afastar de Deus. Além disso, como já ressaltei, ele também age por intermédio de outras pessoas, cujas ações prejudiciais acabam nos atingindo.

Creio que esta última razão é a que mais nos aflige no momento. Nosso país passa por um momento difícil, o qual se origina, entre outros fatores, na incompetência administrativa, no uso do dinheiro público em benefício próprio e em uma corrupção sem precedentes.

Atento a esse mal, o Papa Francisco tem se pronunciado com frequência para denunciar a corrupção e suas consequências. Quando era conhecido apenas pelo seu nome de batismo, Jorge Mario Bergoglio, ele escreveu um livro intitulado *Corrupção e pecado*, em cujo prólogo afirma: "Pecador, sim; corrupto, não!" E, ainda: "O corrupto tem medo da luz porque sua alma adquiriu características de verme: vive nas trevas e debaixo da terra."

Em uma de suas homilias, já como Sumo Pontífice, ele disse que os corruptos são aqueles que eram pecadores como todos nós, mas que deram um passo adiante, como se se tivessem consolidado no pecado: eles não precisam de Deus! Segundo o Papa, "Judas começou como pecador avaro e terminou na corrupção" (*Homilia*, 3 de junho de 2013). Mais tarde, numa entrevista lançada em formato de livro após sua eleição, Francisco declarou que "a corrupção é o pecado que, ao invés de ser reconhecido como tal e de tornar-nos humildes, é elevado a sistema, tornando-se um hábito mental, um modo de vida". E mais: "O corrupto, por sua vez, é aquele que peca e não se arrepende, peca e finge ser cristão, e com a sua dupla vida provoca escândalo." A descrição que o Papa faz do comportamento do corrupto é de uma precisão incrível: "Acredita não precisar mais pedir perdão, passa a vida em meio aos atalhos do oportunismo, ao preço da própria dignidade e da dos outros. Com o seu 'rosto de santinho', o corrupto evade os impostos, dispensa os funcionários para não assumi-los definitivamente, explora o trabalho informal e depois se vangloria de suas espertezas com os amigos ou até mesmo vai à Missa no domingo, mas depois usa o suborno no trabalho."

Podemos reconhecer muitos personagens da política nacional nessas afirmações do Papa Francisco, não? Enquanto isso, grande parte dos cidadãos brasileiros, apesar de trabalharem, não conseguem sair do vermelho.

Deposite sua confiança em Deus... e mãos à obra!

Em meio a uma crise financeira, a primeira providência prática a ser tomada é a organização, no sentido de tomar consciência da crise e avaliar a sua real extensão. Isso porque, quando tentamos ignorar o problema, alegando que não sabemos exatamente em que pé as coisas estão, continuamos vivendo da mesma maneira e o rombo fica cada vez maior. Jesus nos ensinou o princípio da organização: "Pois qual de vós, pretendendo construir uma torre, não se assenta primeiro para calcular a despesa e verificar se tem os meios para a concluir?" (Lc 14, 28).

Esse ensinamento valioso aplica-se sob medida aos tempos de crise. Então, arregace as mangas e monte uma planilha realista para saber onde é possível cortar ou, pelo menos, diminuir gastos, lembrando que dificilmente se consegue passar por momentos difíceis com o mesmo padrão de vida de antes. Crises financeiras sempre exigem disciplina e ajustes importantes.

Já o desemprego é uma das vicissitudes mais temíveis, angustiantes, cruéis e degradantes a afligir milhões de pessoas. Todos os dias estão no noticiário avisos sobre redução de custos, queda de produção, substituição de mão de obra por máquinas, corte de despesas e tantos outros fatores que resultam em demissão em massa.

A falta de trabalho rouba a dignidade, pois retira do trabalhador a fonte de sustento de si mesmo e de sua família, o que também impacta fortemente a autoimagem e a autoestima. Assim, além de gerar conflitos em âmbito pessoal e familiar, muitas vezes o desemprego causa distúrbios psicológicos, como a depressão e a ansiedade.

Sei que falar é fácil, que difícil é se colocar no lugar de quem passa por isso, mas o fato é que reclamar ou ficar procurando um culpado não resolve o problema. Desanimar ajuda menos ainda, e por isso é preciso agir de forma proativa e tentar achar caminhos para solucionar essa situação dramática. Uma das minhas recomendações é desenvolver um bom currículo e pedir auxílio a quem tem contatos para indicar alguma vaga, sempre confiando que é Deus quem está no comando de tudo. "Por isto, eu me comprazo nas fraquezas, nos opróbrios, nas necessidades, nas perseguições, nas angústias por causa de Cristo. Pois, quando sou fraco, então é que sou forte" (2 Cor 12, 10).

O importante é não ficar prostrado, mas manter uma rotina de atividades e deixar a mente ocupada com pensamentos positivos enquanto se procura um novo emprego. Se preciso, não tenha receio de mudar de rumo e partir para outra modalidade de trabalho; afinal, a criatividade é um dos pontos fortes do povo brasileiro. Nesse aspecto, a internet pode ser um valioso meio para se inteirar sobre o mercado de trabalho e novas ideias para iniciar um negócio próprio.

Quando um dos cônjuges perde o emprego, a família sofre um baque. Mas é justamente nessa hora que o juramento feito pelo casal diante de Deus, segundo o qual os dois iriam permanecer unidos "na alegria e na tristeza", deve ecoar.

O desemprego abala a estrutura econômica familiar e, com isso, as inseguranças florescem. Há um ditado malicioso que diz: "Quando a necessidade entra pela porta, o amor pula pela janela." Infelizmente, tal correlação se confirma na vida daquelas pessoas que não sabem esperar pelo tempo de Deus nem respeitam o pacto nupcial.

Nas horas mais difíceis é que precisamos do acolhimento, da força, da positividade e do carinho de quem está próximo. A situação daquele que perde o emprego, já é triste e dolorosa por si só, então é recomendável não fazer cobranças e exigências, assim como demonstrar sentimentos de incerteza e decepção, pois isso contribuirá para exacerbar a sensação de fracasso. O que começou com a perda de um posto de trabalho pode evoluir para um quadro de baixa autoestima, que por sua vez, quando "adubado" pelo Inimigo, pode trazer sérias consequências. O desempregado precisa acessar todo o seu potencial e acreditar que logo poderá exercer suas aptidões em uma nova colocação no mercado.

O dever do cristão é incentivar quem se depara com o revés da perda de emprego a continuar tentando se reerguer todos os dias. No âmbito da casa, por sua vez, cabe manter a alegria presente e deixar claro que mudaram as circunstâncias, mas não o amor. O cônjuge pode ajudá-lo a desabafar e a identificar as próprias emoções, além de se empenhar em traçar planos para driblar a crise a quatro mãos.

Se tiverem filhos com idade para compreender a situação, vale colocá-los a par do problema e pedir a colaboração deles na reorganização das finanças da família. Tudo isso feito sem pessimismo, salientando a prevalência do respeito e do amor. Também é fundamental — o mais fundamental! — que marido e mulher rezem juntos e depositem no Senhor toda a sua esperança e confiança.

Vale lembrar que mesmo as situações difíceis podem trazer boas oportunidades. Como já afirmei antes, muitas pessoas crescem e conseguem se estabelecer em tempos de crise. Espiritualmente, também podemos colher bons frutos, pois toda tribulação traz consigo um estímulo à verdadeira conversão, levando-nos à perseverança e a uma profunda experiência com Deus.

Cabe a nós não dar ouvidos às investidas do Inimigo e manter a serenidade. Se ficarmos apavorados, imersos em pensamentos negativos — "Deus se esqueceu de mim!", "Deus não me ama!", ou "Por que Deus não me escuta e abre uma porta de emprego para mim?" —, estaremos agindo exatamente como o Diabo quer.

Não há montanha que o Deus do impossível não consiga mover. Se a graça está demorando, é porque o Altíssimo está caprichando e preparando o melhor para nós. A oração que sai de nosso coração não passa despercebida e atinge o coração de Deus. Acredite: Ele tem os melhores planos para nós, conforme revelou o profeta: "Sim, eu conheço os desígnios que formei a vosso respeito — oráculo do Senhor —, desígnios de paz e não de desgraça, para vos dar um futuro e uma esperança. Vós me invocareis, vireis e rezareis a mim, e eu vos escutarei. Vós me procurareis e me encontrareis, porque me procurareis de todo coração; eu me deixarei encontrar por vós" (Jr 29, 11-14).

Façamos, portanto, uso daquilo que o Senhor quer dar — e não me refiro a bens materiais, mas à força, à paz e à serenidade para carregarmos a cruz de cada dia. Sigamos o conselho do apóstolo Paulo: "Não vos inquieteis com nada; mas apresentai a Deus todas as vossas necessidades pela oração e pela súplica, em ação de graças. Então, a paz de Deus, que excede toda a compreensão, guardará os vossos corações e pensamentos, em Cristo Jesus" (Fl 4, 6-7).

Quando existe fé verdadeira, não há lugar para incertezas. Todos os dias somos chamados a reagir de diferentes modos diante das dificuldades, e o Senhor Jesus está a garantir: "Basta-te minha graça, porque é na fraqueza que se revela totalmente a minha força" (2 Cor 12, 9a).

O sofrimento aproxima-nos d'Ele, e é n'Ele que devemos depositar nossa confiança. Isso significa que, para superarmos esses momentos de tribulação, não devemos concentrar nossa atenção nas dificuldades, e sim na presença de Jesus, que disse: "Neste mundo, tereis aflições, mas tende coragem; eu venci o mundo" (Jo 16, 33).

Jesus é nosso parceiro de caminhada, dando-nos força e segurança. Ele venceu a morte e prometeu estar conosco até o fim. Com Ele nos amparando, não há o que temer. No amor a Jesus, pelas Suas Santas Chagas, a vitória chegará e as conquistas fluirão com naturalidade.

Para rezar

Salmo 144 (145)

Ant.: Eu volto os olhos e aguardo no Senhor Deus, meu Salvador.

Ó meu Deus, quero exaltar-Vos, ó meu Rei,
e bendizer o Vosso nome pelos séculos.

Todos os dias haverei de bendizer-Vos,
hei de louvar o Vosso nome para sempre.
Grande é o Senhor e muito digno de louvores,
e ninguém pode medir vossa grandeza.

Uma idade conta à outra Vossas obras
e publica os Vossos feitos poderosos;
proclamam todos o esplendor de Vossa glória
e divulgam Vossas obras portentosas!

Narram todos Vossas obras poderosas,
e de Vossa imensidade todos falam.
Eles recordam Vosso amor tão grandioso
e exaltam, ó Senhor, Vossa justiça.

Misericórdia e piedade é o Senhor,
ele é amor, é paciência, é compaixão.
O Senhor é muito bom com todos,
sua ternura abraça toda criatura.

Que Vossas obras, ó Senhor, Vos glorifiquem,
e os Vossos santos com louvores Vos bendigam!
Narrem a glória e o esplendor do Vosso reino
e saibam proclamar Vosso poder!

Para espalhar Vossos prodígios entre os homens
e o fulgor de Vosso reino esplendoroso.
O Vosso reino é um reino para sempre,
Vosso poder, de geração em geração.

Glória ao Pai, ao Filho e ao Espírito Santo.
Como era no princípio, agora e sempre. Amém.

Oração

Grande Deus e Senhor da minha alma,
quando problemas se apresentam, eu recorro a esta oração,
confiando no nome de Nosso Senhor Jesus Cristo.
Preciso ser envolvido no poder de Teu Espírito Santo,
e que toda graça do céu venha ao encontro de minha vida.
Seja esmagado o império do mal, seja destruída toda obra do Maligno,

afastada toda perturbação e repreendida a feitiçaria.
Saia toda inveja, afaste-se de mim a maldade, meu corpo seja curado,
e que haja sobre mim a bênção da prosperidade,
progresso em meu trabalho, bonança em meu lar,
vitória para meu viver e mais fé para vencer.
Com Deus, vencerei!
Em nome do Pai, do Filho e do Espírito Santo.
Amém.

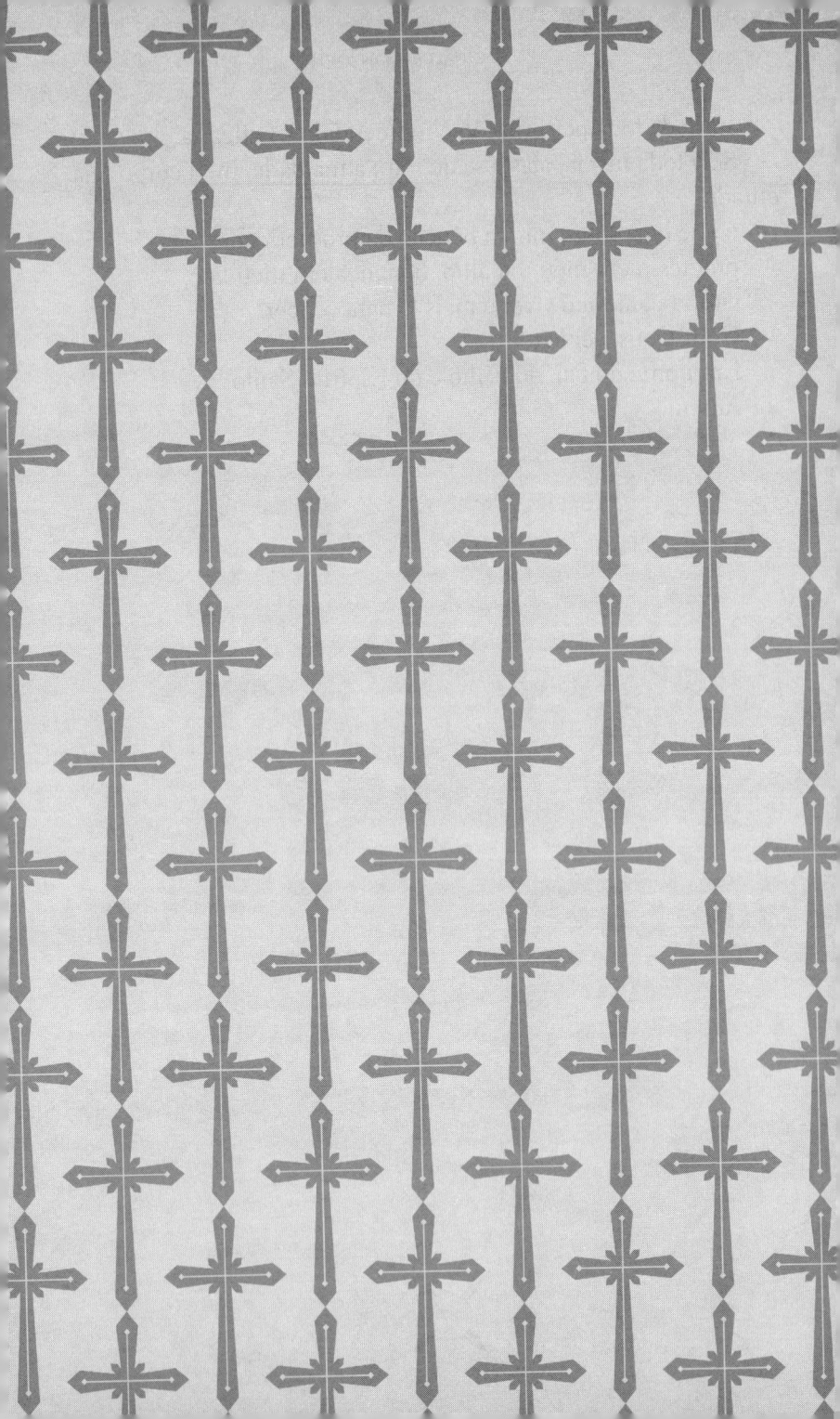

Capítulo 6

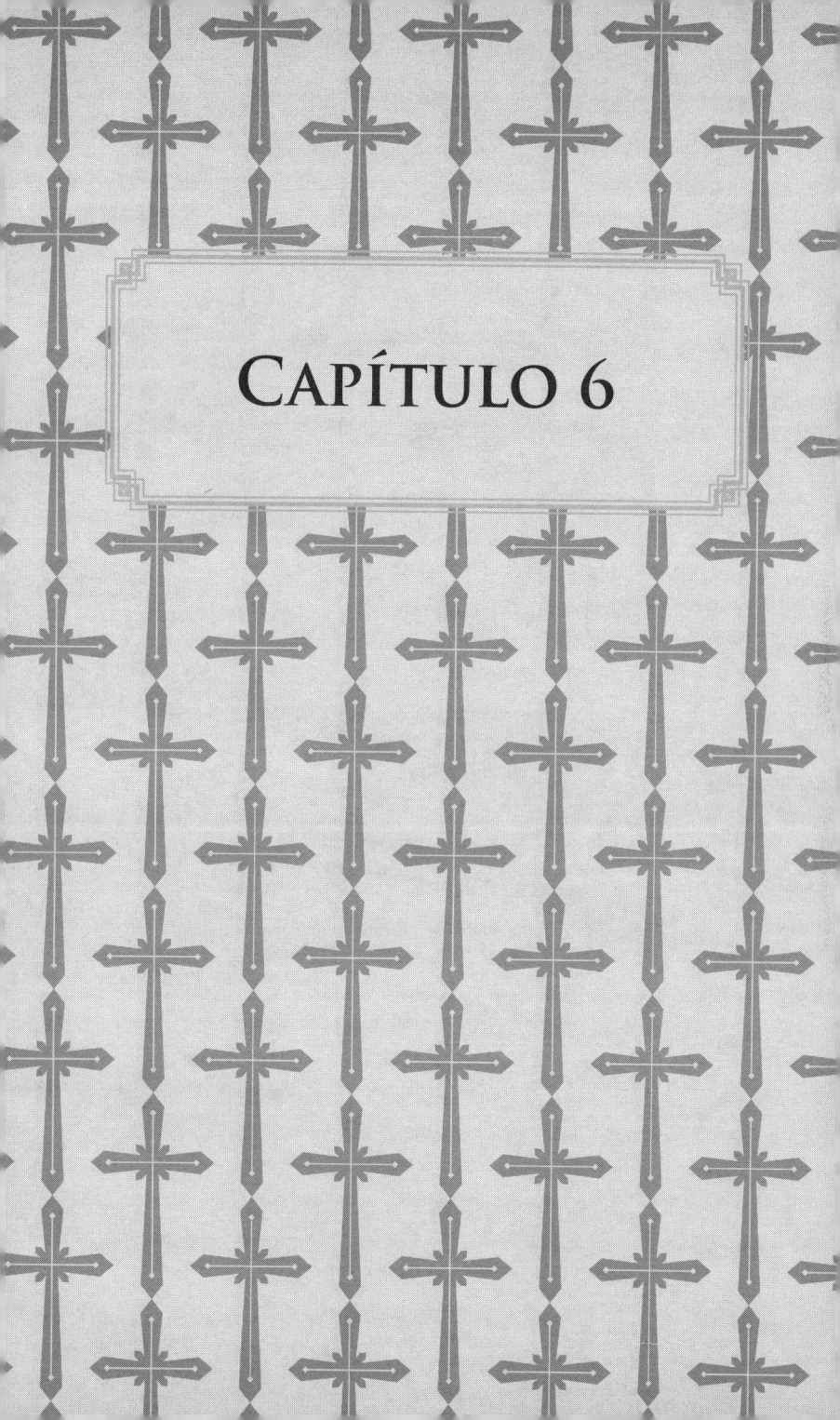

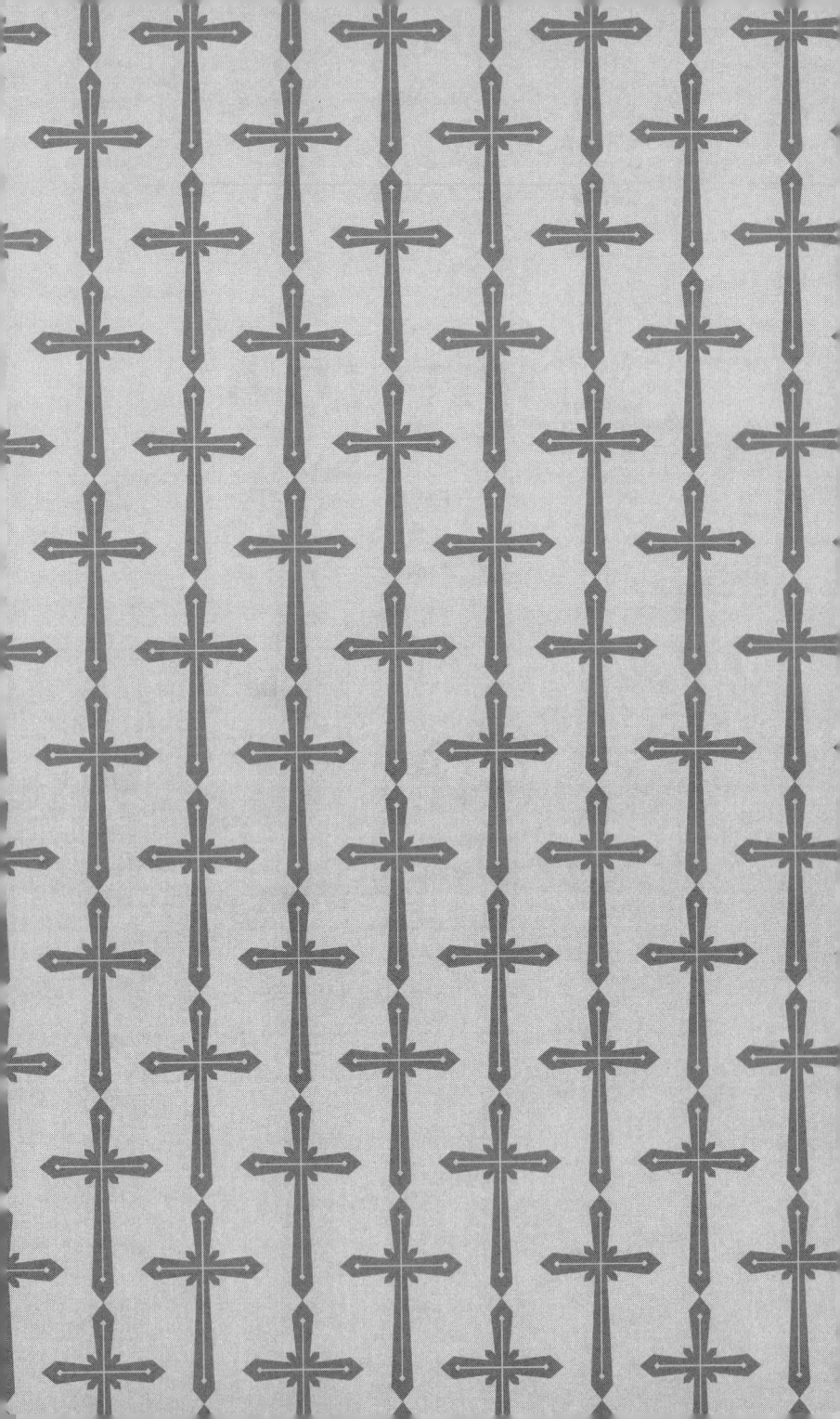

Vencendo o combate nas perdas

Viver é um aprendizado, e experimentar perdas faz parte da nossa trajetória desde que nascemos. Aliás, nascer já significa perder o aconchego do útero materno. Depois, seguindo a linha da vida, vamos perdendo gradualmente o colo dos pais, a inocência da infância, o destemor da adolescência e da juventude, a autonomia da maturidade, até que o ciclo da vida biológica se extingue. Como essas perdas específicas são inerentes a toda criatura, passamos por elas aceitando-as com certa naturalidade, e nesse caminho adquirimos conhecimento, capacidades e sabedoria.

Contudo, existem também outras áreas de nossa vida em que as perdas provocam grande sofrimento e precisam ser elaboradas para que não se transformem em porta de entrada para influências maléficas. Para tanto, devemos nos atentar a alguns exemplos inspiradores.

Não há como falar em perdas sem citar Jó, que se deparou com elas em todas as esferas da vida. Perdeu bens, saúde, animais, amigos, filhos... e saiu vitorioso. Por isso dediquei um capítulo do meu livro anterior, *Batalha espiritual*, para abordar esse tema. Vale relembrar que Jó foi tentado por Satanás, que o queria fazer blasfemar contra Deus (cf. Jó 1, 11).

Também nós, como Jó, somos provados em nossa fé, e obviamente isso não ocorre nos momentos de alegria, porque na "hora boa, tudo é glória e aleluia". O teste de fogo se dá no sofrimento, ou seja, na situação de perda, e é a fé que nos leva a continuar e a perseverar, conforme afirma São Tiago: "Meus irmãos, tende por motivo de grande alegria serdes submetidos a múltiplas provações, pois sabeis que a vossa fé, bem provada, leva à perseverança" (Tg 1, 2-3). Assim como dizem que toda crise também enseja uma oportunidade de crescimento, ao vivenciar a perda temos uma chance única de revigorar nossa experiência com Deus.

Quem nunca ouviu a expressão "paciência de Jó"? A tradução correta, porém, seria "perseverança de Jó", uma vez que ele não desistiu. Reclamou, é verdade; aguentou as alfinetadas de sua mulher, que com certeza também ficara abalada pela perda dos filhos; além disso, entrou em confronto com os amigos e até com Deus. Todavia, Jó preferiu morrer a amaldiçoar a Deus (cf. Jó 2, 9-10). E, ao final, recuperou tudo em dobro. Quem saiu vencido, mais uma vez, com o "rabinho entre as pernas", foi Satanás.

O apóstolo Paulo, por sua vez, é outro exemplo emblemático de perda, ganho e fé. Ele abdicou de seus privilégios de cidadão romano e fariseu proeminente, agraciado com riqueza, reputação e prestígio, por causa de Cristo, a fim de ganhar o Reino de Deus (cf. Fl 3, 7-9).

Satanás nos visita na hora da perda

As perdas ferem e chorá-las é necessário. Diante delas, temos reações naturais, a começar pela conhecida negação: "Isso não pode ter acontecido comigo, não acredito nisso." Essa reação, em geral de breve duração, pode ser até saudável, desde que não nos deixemos cair na autopiedade e passemos a questionar: "Por que eu?"

Quando ecoamos isso, seja verbalizando-o com todas as letras, seja em nossa mente, Deus nos escuta, mas o Inimigo também o percebe. Ele é astuto e se apressa em responder, sempre com pseudoverdades que nos jogam ainda mais para o fundo do poço. Enquanto estamos "batendo de frente", negando ou questionando a legitimidade do que nos ocorreu, o Inimigo se deleita com a dor que isso nos causa.

Sentir raiva não é pecado; o problema é quando isso se transforma em mágoa, insegurança e frustração contra algo ou alguém — e até contra Deus. Não podemos deixar que isso evolua de uma simples fase para um estado permanente. São Paulo nos aconselha: "Estais com raiva? Não pequeis; o sol não se ponha sobre vosso ressentimento. Não deis ocasião ao Diabo" (Ef 4, 26).

Recentemente, atendi uma pessoa que não se conformava com a perda do filho e não conseguia fazer a entrega desse fardo a Deus. Estava desanimada, sem vontade de viver, e se mostrou revoltada por não entender qual o sentido da morte.

Sem dúvida, a perda de alguém tão querido é uma das maiores dores que o ser humano pode sentir. Para ela, nunca estamos preparados. A dificuldade é ainda maior quando se trata da perda de um filho: afinal, pela ordem cronológica natural, os mais velhos não deveriam enterrar seus descendentes.

Quando me questionam sobre o porquê da morte, sempre faço questão de reforçar que essa nunca foi a vontade de Deus. A morte é uma contingência humana, ou seja, faz parte da fragilidade do ser humano e entrou no mundo pelo Pecado Original. "Portanto, assim como por um só homem entrou o pecado no mundo, e pelo pecado a morte, assim também a morte passou a todos os homens, porque todos pecaram" (Rm 5, 12).

Aceitar a morte, porquanto ela faz parte do ciclo da vida, é ponto pacífico. Por outro lado, isso não muda o fato de a perda de entes queridos ser uma das experiências mais dolorosas com a qual inevitavelmente nos deparamos em nossa jornada, e é nesse meandro que se trava a batalha que precisamos vencer.

A nossa arma é a esperança na Ressurreição

A perda provoca em nós uma reação imediata que é chamada de luto. Trata-se de um processo que pode se estender por mais ou menos tempo, e a maneira de vivenciá-lo depende de cada um e do quão significativo é aquele ou aquilo que foi perdido. Segundo os especialistas, em geral o luto é marcado, num primeiro momento, pelo choque diante do inesperado ou do incontrolável, gerando uma espécie de anestesia, principal indicador de que a perda ainda não foi assimilada.

Depois, vem a fase em que a "ficha cai", como se diz popularmente. Nela, entendemos a dimensão do ocorrido, mas resistimos em aceitar; muitos chegam a acreditar que irão acordar e a realidade será outra. Quando, finalmente, percebemos que nada mudará, vem o sofrimento, o choro, a falta que alguém ou algo emocionalmente importante começa a fazer. Então, chega o momento da revolta e também da culpa, quando entra em cena o "se": "Se eu tivesse sido mais atento...", "Se eu pudesse voltar àquele dia...". Por fim, como em outras perdas, chega a aceitação e o necessário retorno à rotina.

Fiz essa detalhada descrição para enfatizar que é muito importante vivenciar integralmente o luto e, assim, conseguir superar a perda e continuar a viver. Não podemos ignorar a ausência de um ente querido, por exemplo, mas temos de aprender a ser felizes apesar disso, evitando a instalação de um sofrimento desordenado e duradouro, que traria consequências negativas para a saúde do corpo, da mente e do espírito. No caso da morte, superar a perda não significa esquecer aqueles que amamos e já partiram, pois o amor não termina com a interrupção da vida biológica. O amor é redirecionado. Os mortos não fazem mais parte da nossa vida terrena, mas continuam em nosso coração e, se dóceis à graça de Deus, no Céu. A saudade e a lembrança devem ser cultivadas; o sofrimento, não.

Por isso, não devemos nos fechar na dor nem nos isolar, e sim ver as pessoas que estão ao nosso lado e precisam de atenção. Se houver tempo disponível, vale até procurar engajar-se em algum trabalho voluntário, pois doar-se ao próximo, participando de ações sociais voltadas ao atendimento dos mais carentes, costuma ser remédio eficaz para aplacar o próprio sofrimento. Da mesma forma, falar sobre o assunto com pessoas que já passaram pela mesma situação também dá resultado. Há grupos especializados em oferecer esse tipo de apoio, como o denominado Amigos Solidários na Dor do Luto.

Acima de tudo, é muito importante buscar consolo em Jesus, que saiu vitorioso da morte e, em Sua vida terrena, também passou pela experiência da perda e chorou a morte de Seu amigo Lázaro. Comoveu-se com a dor de suas irmãs Marta e Maria, foi ao encontro delas, ouviu Marta e a consolou dizendo: "Eu sou a ressurreição e a vida. Quem crê em mim, ainda que morra, viverá. E quem vive e crê em mim jamais morrerá. Crês nisso?" (Jo 11, 25-26).

O *Catecismo da Igreja Católica*, sintetizando dois milênios de sã doutrina, ensina que "a união dos que estão na Terra com os irmãos que estão em Cristo de nenhuma maneira se interrompe", lembrando que "eles não deixam de interceder por nós ao Pai" (955-56). E, ainda: "A visão cristã da morte é expressa de forma privilegiada na liturgia da Igreja: Senhor, para os que creem em vós, a vida não é tirada, mas transformada. E, desfeito nosso corpo mortal, nos é dado, nos Céus, um corpo imperecível" (1012).

A fé é determinante para encarar a morte como início de uma nova etapa, e seu fundamento está na Ressurreição de Nosso Senhor Jesus Cristo e na certeza de que Aquele que O ressuscitou também nos ressuscitará, como ensina São Paulo: "Deus, que ressuscitou o Senhor, ressuscitará também a nós pelo seu poder" (1 Cor 6, 14).

Confiemos na promessa: "Eis a tenda de Deus com os homens. Ele habitará com eles; eles serão o seu povo e Ele, Deus com eles, será o seu Deus. Ele enxugará toda lágrima dos seus olhos, pois nunca mais haverá morte, nem luto, nem clamor, e nem dor haverá mais. Sim! As coisas antigas se foram!" (Ap 21, 3-4).

Se não há explicação suficiente quando sofremos uma grande perda, há a compreensão de que apenas o Senhor pode nos segurar, nos sustentar, aliviar nossas dores e nos restaurar. A esperança na Ressurreição consola, encoraja a reagir e nos impulsiona rumo à reestruturação e à cura.

Como combater o vazio deixado pela perda de um relacionamento

No caso do rompimento de uma relação duradoura, também experimentamos esse sentimento de perda, que é naturalmente proporcional à importância desse vínculo em nossa vida. O uso recorrente do pronome possessivo ao nos referirmos a outrem — "minha namorada", "meu marido", "minha amiga" — indica uma condição de pertencimento que, uma vez desfeita, torna a perda ainda mais frustrante.

Minimizar ou reprimir a dor não é eliminá-la. Ao terminar um namoro de muitos anos, argumentos como "Não estou nem aí" e "Um amor vai, outro vem" nada mais são do que uma forma de mascarar a perda, e não de lidar com ela.

Quando há o término de uma amizade ou de um namoro, por exemplo, o sentimento de perda mistura-se com a frustração, e a pessoa passa a se sentir incompleta, como se estivesse pela metade. Num primeiro momento, deve permitir-se sofrer e chorar, porém a dor não pode se instalar definitivamente. Há indivíduos que se acostumam com a dor e até gostam de se vitimizar: "Lá se foi minha juventude...", "Perdi muito tempo da minha vida!". Não perdeu! Ambos viveram experiências juntos, partilharam um caminho, criaram lembranças boas e ruins, mas que sempre farão parte de uma história em comum.

E atenção: é nesses momentos de fraqueza que o Inimigo aproveita para instigar em nossa mente pensamentos negativos e relacionados a ódio, mágoa, vingança. Nesse caminho, há quem inicie um novo relacionamento apenas para se vingar do "ex", mostrar que "a fila andou", acabando por envolver mais uma pessoa num círculo de dor emocional. Não é preciso pressa. Tudo tem seu tempo. Aceitar e perdoar é essencial para voltar a amar.

A palavra-chave para a superação é reconstruir-se. Muitos podem até pensar: "Eu não consigo", "Eu não tenho força". Felizmente, somos mais resilientes do que imaginamos. Em Deus encontramos essa força.

A crucificação de Jesus foi um ato de incomensurável atrocidade, e por isso muitos não gostam de olhar para o Crucificado. Também causa impacto a aparente situação de Seu extremo abandono. Mas Deus estava presente, embora o livre-arbítrio não tenha interferido na escolha daqueles que mataram Jesus. E as marcas deixadas pela passagem de Cristo pela Cruz se transformaram em marcas da vitória do amor.

Portanto, podemos acreditar: no momento do rompimento de nossos relacionamentos, quando da morte de alguém, na viuvez, Deus está presente apesar da sensação de abandono, pronto para nos amparar e nos confortar.

Então, apoie-se n'Ele e peça: "Senhor, me cura, me reconstrói!" Uma ferida bem curada não dói mais, restando somente a marca da cura em Deus.

Esse tempo de reconstrução equivale a um renascimento, no qual refazemos a imagem de nós mesmos não com base nos defeitos que a outra pessoa fez vir à tona, mas naquilo que nos caracteriza como criaturas feitas à imagem e semelhança do Senhor. Não interessa que você já tenha rugas e até uma barriguinha. Esses são apenas sinais externos de uma história vivida, cujo real valor está dentro de nós, onde também habita a Santíssima Trindade.

Reconstruir-se significa reencontrar-se, resgatar-se, vencer a perda, valorizar-se e sonhar além do outro. Muitas vezes, em função de um vínculo passado, abrimos mão de nossos projetos e sonhos. No momento da perda, então, tudo isso pode ser redimensionado e reiniciado.

Quem já viu o nascer do sol sabe que ele não se apresenta de uma só vez. Primeiro vem uma luminosidade, que ainda não é o corpo celeste propriamente dito, mas apenas o seu prenúncio. Lentamente, ele vai surgindo até nascer por completo e irradiar luz e calor. Da mesma forma, costumamos acreditar equivocadamente que já atingimos nosso potencial máximo. Contudo, não raro, estamos apenas no prelúdio da nossa caminhada, lembrando que a força de Deus está em nós e podemos brilhar e irradiar luz para os outros.

Perdas também podem se traduzir em aprendizado e trazem oportunidades de novas conquistas e realizações. O passado já se foi, não nos pertence mais, mas o futuro ainda pode ser edificado desde o momento presente. Então, sigamos em frente, até que seja possível vivermos de novo a potência máxima do sentimento de amor e termos a graça divina plenificada em nós.

Para rezar

Salmo 41 (42)

Ant.: *Sois vós Senhor, minha força e meu amparo. Da tristeza libertai-me.*

Minha alma tem sede de Deus,
e deseja o Deus vivo.
Quando terei a alegria de ver
a face de Deus?

O meu pranto é o meu alimento
de dia e de noite,
enquanto insistentes repetem:
"Onde está o teu Deus?"

Recordo saudoso o tempo
em que ia com o povo.
Peregrino e feliz caminhando
para a casa de Deus,
entre gritos, louvor e alegria
da multidão jubilosa.

Por que te entristeces, minh'alma,
a gemer no meu peito?
Espera em Deus! Louvarei novamente
o meu Deus Salvador!

Minh'alma está agora abatida,
e então penso em Vós,

do Jordão e das terras do Hermon
e do monte Misar.

Como o abismo atrai outro abismo,
ao fragor das cascatas,
Vossas ondas e Vossas torrentes
sobre mim se lançaram.

Que o Senhor me conceda de dia
Sua graça benigna
e de noite, cantando, eu bendigo
ao meu Deus, minha vida.

Digo a Deus: "Vós que sois meu amparo,
por que me esqueceis?
Por que ando tão triste e abatido
pela opressão do Inimigo?"

Os meus ossos se quebram de dor,
ao insultar-me o Inimigo;
ao dizer cada dia de novo:
"Onde está o teu Deus?"

Por que te entristeces, minh'alma,
a gemer no meu peito?
Espera em Deus! Louvarei novamente
o meu Deus Salvador!

Glória ao Pai, ao Filho e ao Espírito Santo.
Como era no princípio, agora e sempre.
Amém.

Oração

(Composta por São Pio de Pietrelcina)

Ó Jesus! Destrói em mim tudo o que não seja do Teu gosto. E escreve as Tuas dores no meu coração com o fogo da Tua caridade. E aperta-me fortemente junto de Ti, suave e eternamente, para que não mais Te abandone nas Tuas dores. Que eu possa repousar-me sobre Teu coração nas dores da vida para conseguir desta força a restauração. Que o meu espírito não tenha outro desejo que viver ao Teu lado no horto e saciar-me nas penas do Teu coração. Que a minha alma se inebrie do Teu sangue e se alimente contigo com o pão dos Teus sofrimentos.
Assim seja.

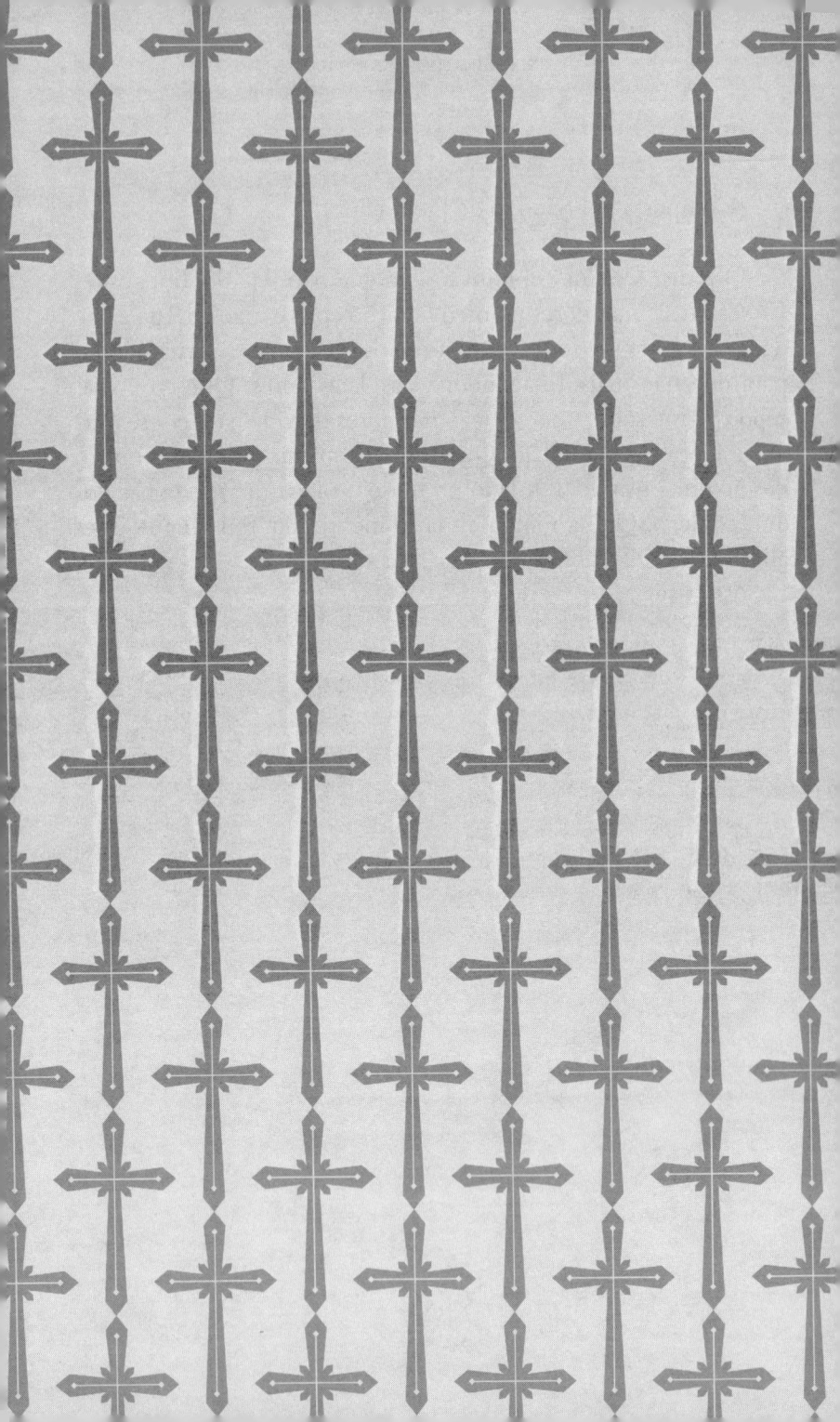

Capítulo 7

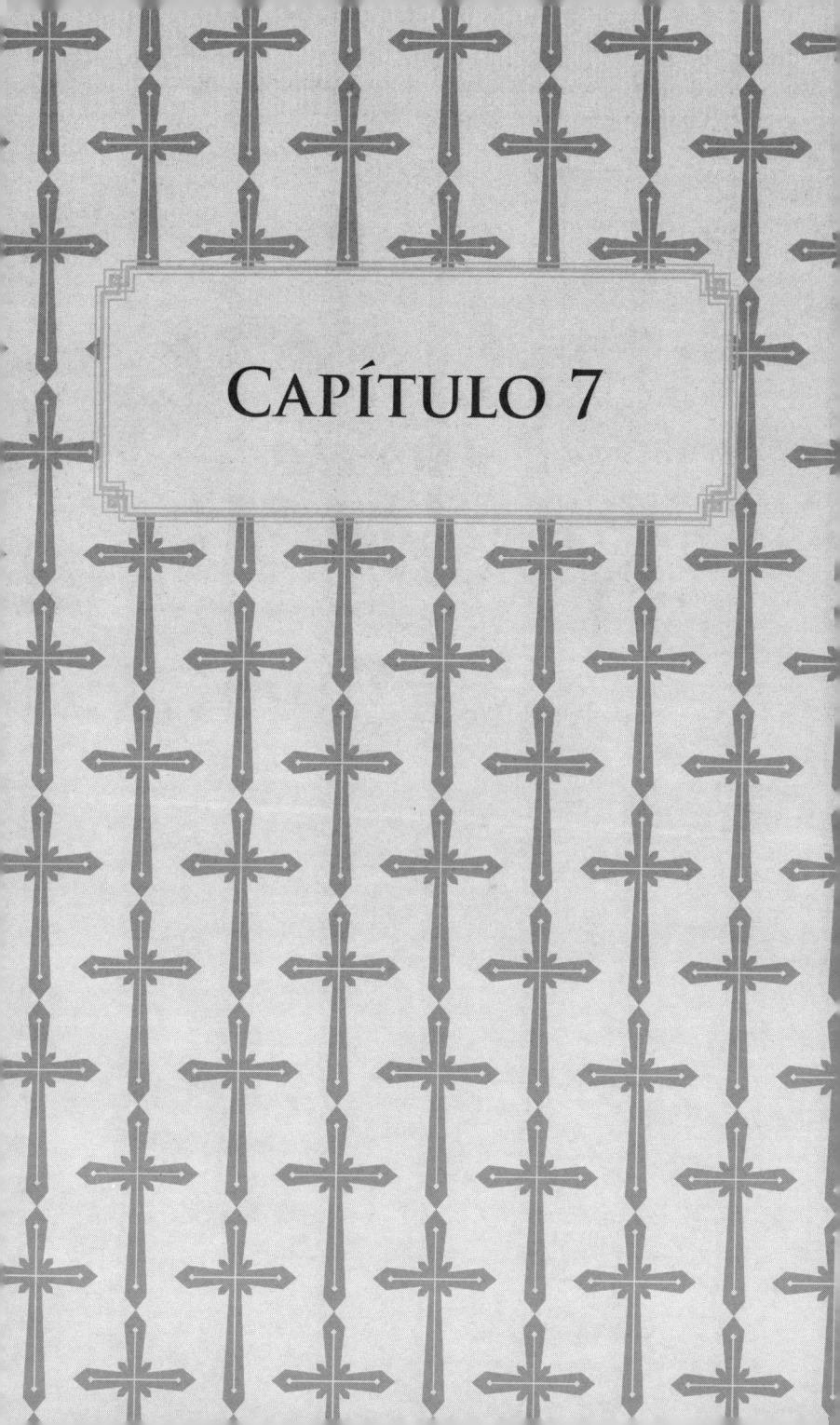

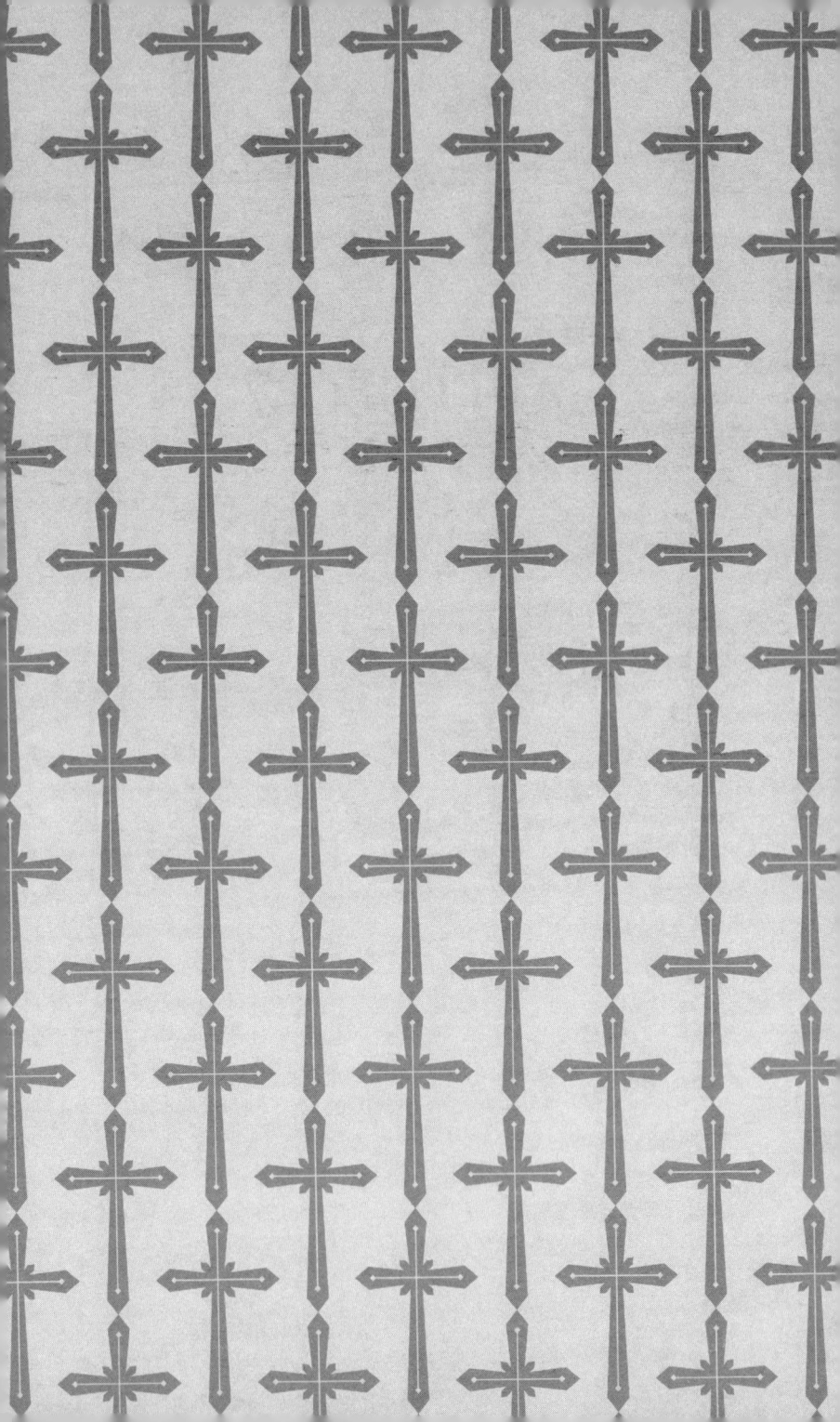

Vencendo o combate na nossa mente: para se libertar da insegurança e do medo

A vida nos coloca diante de uma série de situações desafiadoras que nos obrigam a agir ou reagir, mas nem sempre nos sentimos suficientemente preparados para isso. Muitas vezes, ficamos paralisados e até recuamos por não podermos prever as consequências do que fazemos. A pergunta, no entanto, é: até que ponto isso é desencadeado pelo nosso próprio "sistema de segurança" interno e até que ponto é efeito das "gotas" de insegurança e de medo inoculados todos os dias por Satanás em nossa mente?

Sem dúvida, estamos vivendo dias difíceis, em que a violência, a situação econômica e os acidentes naturais, além das perdas e dos infortúnios de toda ordem, acabam nos atingindo e gerando inseguranças que o homem não pode evitar. Temos motivos para sentir medo, e não há mal nenhum em tomar precauções e medidas para diminuir o impacto dessas "chagas" sobre nossa vida.

Contudo, temos de ficar atentos e nos cuidar para que essa dinâmica que começa fora de nós não contamine o nosso espírito, fazendo com que o mal também se propague a partir da gente. O medo exagerado e sem controle é um dos flagelos do mundo moderno, e a tentativa de Satanás é incuti-lo em nossa alma para que cresça ainda mais. "Pois Deus não nos deu um espírito de medo, mas um espírito de força, de amor e de sobriedade" (2 Tm 1, 7).

A insegurança e o medo que você sente não vêm de Deus

Uma das principais armadilhas criadas por Satanás é o medo. Ele afeta toda a estrutura física e mental do ser humano, tira-nos a paz, gera angústia, ansiedade e autocomiseração, impede que alcancemos todo o nosso potencial. Nos casos mais graves, esse sentimento pode evoluir para um quadro de fobia, com efeitos altamente danosos.

O primeiro registro de medo na Bíblia aparece já no Gênesis: "Ouvi teu passo no jardim", respondeu o homem, "tive medo porque estou nu, e me escondi" (Gn 3, 10). O medo de Adão foi gerado pela desobediência a Deus, sob o estímulo de Satanás. Por isso, podemos atribuir parte de seu surgimento à ação do Inimigo, a partir da qual o ser humano passou a ser diretamente atingido por essa desordem.

Segundo a santa Teresa de Calcutá, o medo é o maior inimigo do ser humano. Ele não permite que nos aventuremos em Deus e nos fecha para a ação e a vontade do Pai.

É importante, ao mesmo tempo, não confundir medo com prudência. O *Catecismo da Igreja Católica* nos esclarece: "A prudência é a virtude que dispõe a razão prática a discernir, em qualquer circunstância, nosso verdadeiro bem e a escolher os meios adequados para realizá-lo. 'O homem sagaz discerne os seus passos' (Pr 14, 15). 'Sede prudentes e sóbrios para vos entregardes às orações' (1 Pd 4, 7). A prudência é a 'regra certa da ação', escreve São Tomás de Aquino citando Aristóteles. Não se confunde com a timidez ou o medo nem com a duplicidade ou a dissimulação. É chamada *auriga virtutum*, a cocheira ou condutora das virtudes, porque conduz as outras virtudes, indicando-lhes a regra e a medida. É a prudência que guia imediatamente o juízo da consciência. O homem prudente decide e ordena sua conduta seguindo este juízo. Graças a esta virtude, aplicamos sem erro os princípios morais aos casos particulares e superamos as dúvidas sobre o bem a praticar e o mal a evitar" (1806).

A fé não nega a prudência e nem é a falta dela. Mesmo confiando totalmente em Deus, não podemos deixar de tomar precauções. Por exemplo, em caso de enfermidade, procurar um médico e seguir o tratamento recomendado é agir com prudência. Deus pode fazer tudo sozinho, com certeza, mas Ele criou a medicina e deu sabedoria aos médicos para nos curarem (cf. Eclo 38, 1-15).

A insegurança e o medo equilibrados, portanto, são valiosos mecanismos de alarme, que levam o indivíduo a se defender e a não se expor a situações de risco. Porém, quando fogem do controle, podem, em vez de livrar a pessoa do perigo, aprisioná-la e até aniquilá-la totalmente. Uma ouvinte do meu programa de rádio, graduada em Ciências Contábeis, disse conseguir resolver questões complexas sobre as pendências financeiras das empresas para as quais presta serviço, porém há dias em que não consegue atravessar a rua para comprar pão na padaria em frente à sua casa. Tenta, vai até o portão, mas volta por se sentir ameaçada e amedrontada. Nesse caso, o que começou como um medo salutar foi tomando proporções maiores e evoluiu para um quadro diagnosticado de Síndrome do Pânico.

Nós acreditamos muito naquilo que vemos e negligenciamos o que está oculto, precisamente a esfera onde o Inimigo age, conforme Jesus nos alertou: "Não tenham medo daqueles que matam o corpo, mas não podem matar a alma. Pelo contrário, tenham medo daquele que pode arruinar a alma e o corpo no inferno!" (Mt 10, 28).

Todos os sentimentos que nos paralisam e nos impedem de avançar são contrários à fé, que ilumina nossa inteligência e move nossa vontade a fim de podermos caminhar em direção a Deus. Vejamos o caso dos apóstolos tal qual relatado num dos trechos mais instigantes do Novo Testamento. Em pleno mar, remando contra o vento, de madrugada, eles avistaram Jesus caminhando sobre as águas. A princípio, ficaram apavorados, mas logo o Mestre os acalmou. Pedro, quando viu que se tratava de Jesus, pediu então: "Senhor, se és Tu, manda que eu vá ao Teu encontro sobre as águas." Ao que o Senhor lhe respondeu: "Vem."

Descendo do barco, o apóstolo caminhou sobre as águas e foi em direção a Cristo. Mas, ao sentir o vento, acabou por sentir medo e começou a afundar. Gritou: "Senhor, salva-me!" Jesus estendeu a mão prontamente e o segurou, repreendendo-o em seguida: "Homem fraco na fé, por que duvidaste?" (Mt 14, 28-31).

Pedro era pescador e sabia nadar perfeitamente, o que tornava improvável seu afogamento. A propósito, a profissão de pescador exige muita coragem e destreza, pois o mar é traiçoeiro: em um momento está calmo e, noutro, agitado; ora a correnteza puxa para um lado, ora para outro. O fato é que, mesmo com toda sua experiência, Pedro afundou. Se prestarmos atenção ao relato, enquanto o apóstolo olhava e acreditava na presença do Senhor, ele seguiu firme; mas, quando o vento e a correnteza turvaram-lhe a vista, a dúvida se instalou e ele começou a ser puxado para o fundo. Imediatamente, ele se apegou à confiança de que o Mestre o salvaria e gritou por socorro. De fato, Jesus estendeu-lhe a mão e o tirou da água. Trata-se, por isso, de um exemplo que ilustra muito bem como o Inimigo lança dúvidas e tenta desvirtuar o nosso pensar e o nosso agir por meio da insegurança e do medo, minando nossa capacidade.

Como parar de temer e seguir adiante

Para seguirmos nosso caminho sem nos deixarmos afligir nem afundar, devemos manter nosso olhar fito no Senhor. A boa notícia é que Jesus está sempre ao nosso alcance e, se confiarmos e pedirmos como o apóstolo Pedro fez, Ele nos estenderá Seu braço forte para que enfrentemos os ventos contrários e os medos que nos impedem de avançar.

Vale alertar que, se não estiverem fortalecidos na sua fé, mesmo os destemidos e corajosos podem sofrer algum revés e cair na armadilha do Inimigo. Isso porque, como já expliquei diversas vezes, o Diabo trabalha na surdina e sem pressa. Mesmo aqueles pequenos receios aparentemente sem importância podem, por influência dele, assumir proporções maiores ao longo do tempo e acabar implodindo nossas resistências.

Não vencemos a insegurança e o medo negando-os ou ignorando-os, e sim enfrentando-os com a Palavra — "pois Deus não nos deu um espírito de medo, mas um espírito de força, de amor e de sobriedade" (2 Tm 1, 7) — e com a confiança em Jesus, que disse: "Não temas; crê somente" (Mc 5, 36).

Dizem que, nas Sagradas Escrituras, a expressão "Não tenhais medo" e suas variantes aparecem 365 vezes, uma para cada dia do ano; alguns afirmam que são 366 ocorrências, possivelmente para atender à contingência de um ano bissexto. Não sei se isso é verdade, pois nunca fiz as contas, mas não importa quantas vezes essa recomendação é repetida. O fato é que Deus nunca se contradiz! Desse modo, bastaria que tivesse falado apenas uma vez, como fez com o profeta: "Não temas, porque eu estou contigo, não fiques apavorado, pois eu sou o teu Deus; eu te fortaleço, sim, eu te ajudo; eu te sustenho com a minha destra justiceira" (Is 41, 10). Não obstante, Jesus faz questão de reforçar o comando para não termos medo e nos garante: "No mundo tereis tribulações, mas tende coragem: eu venci o mundo!" (Jo 16, 33). Lembremo-nos de que ter coragem não significa estar imune ao medo, mas agir apesar dele.

São João Paulo II, no célebre discurso que proferiu ainda na sacada da Basílica de São Pedro, logo no início de seu pontificado, pediu: "Não tenham medo! Abram, ou melhor, escancarem as portas para Cristo!"

A fé é determinante para triunfarmos sobre as inseguranças e os medos implantados em nosso espírito pelo Maligno. Não podemos vencê-los sozinhos, e por isso precisamos contar com a força de Deus. "Sede sóbrios e vigiai. Vosso adversário, o Demônio, anda ao redor de vós como o leão que ruge, buscando a quem devorar. Resisti-lhe fortes na fé" (1 Pe 5, 8-9a).

O apóstolo Paulo, por sua vez, também é uma figura fascinante e tem muito a nos ensinar sobre este combate. Como ele mesmo relatou, enfrentou prisões, naufrágios, perigos, abandonos, solidão, perseguições, agressões, enfermidades, frio, nudez, fome e sede (cf. 2 Cor 11, 23-33). Contudo, Paulo nunca desanimou ou cedeu às tentações do Inimigo, nem mesmo nos períodos mais sombrios. É dele este conselho: "Não nos deixamos abater. Pelo contrário, embora em nós o homem exterior vá caminhando para a sua ruína, o homem interior se renova dia a dia. Pois nossas tribulações momentâneas são leves em relação ao peso eterno de glória que elas nos preparam até o excesso. Não olhamos para as coisas que se veem, mas para as que não se veem; pois o que se vê é transitório, mas o que não se vê é eterno" (2 Cor 4, 16-18).

Ao contrário do que possa parecer, Paulo não era um super-herói, mas um homem franzino, debilitado, que tinha problemas de visão. Tratava-se, em suma, de uma pessoa com fragilidades como qualquer um de nós. No entanto, nada o deteve em sua missão de anunciar o Evangelho. Foi um apaixonado pelo Senhor, como ele mesmo declarava: "Para mim, o viver é Cristo e o morrer é lucro" (Fl 1, 1). E ainda: "O Senhor me libertará de toda obra maligna e me levará salvo para o Seu Reino celeste" (2 Tm 4, 18).

Aproximamos de nós esta força de Deus que descreve Paulo quando cremos no poder da oração e "rezamos nossa vida". Lancemos, pois, nossas inseguranças e nossos medos sobre o Senhor, porque é Ele quem cuida de nós (cf. 1 Pd 5, 7).

Outra arma poderosa para vencer esse combate é cultivar a esperança, que não advém da espera sem fundamento, mas da perseverança perante as tribulações e da fidelidade ao Senhor (cf. Rm 5, 3-5). Alguns personagens bíblicos nos dão exemplo disso. Davi, por exemplo, em momento de enorme risco, colocou toda a sua confiança em Deus e declarou: "O Senhor é minha luz e minha salvação: de quem terei medo? O Senhor é a fortaleza de minha vida: frente a quem tremerei?" (Sl 26, 1).

Por fim, recomendo a vivência do amor no seu sentido mais profundo. A falta de amor abre brechas para que o Inimigo aumente sua influência sobre nós. Amar a Deus e ao próximo é o resumo de toda a Lei. São João expressou de forma muito intensa a importância do amor: "Aquele que não ama não conheceu a Deus, porque Deus é Amor", e identificou-o como o mais eficiente antídoto contra o medo: "Não há temor no amor; ao contrário, o perfeito amor lança fora o temor, porque o temor implica um castigo, e o que teme não chegou à perfeição do amor" (1 Jo 4, 8.18).

Resumindo, a fé, o poder da oração, a esperança com confiança no Senhor e o aperfeiçoamento do amor derrotam a insegurança e o medo. Por conseguinte, também despertam a determinação que nos conduz à vitória na luta contra as investidas do Inimigo sobre nossa cabeça e nossa vontade.

Para rezar

Salmo 26 (27)

Ant.: *O Senhor é a proteção da minha vida, nada temo, estou seguro.*

O Senhor é minha luz e salvação;
de quem eu terei medo?
O Senhor é a proteção da minha vida;
perante quem eu tremerei?

Quando avançam os malvados contra mim,
querendo devorar-me,
são eles, inimigos e opressores,
que tropeçam e sucumbem.

Se os inimigos se acamparem contra mim,
não temerá meu coração;
se contra mim uma batalha estourar,
mesmo assim confiarei.

Ao Senhor eu peço apenas uma coisa,
e é só isto que eu desejo:
habitar no santuário do Senhor
por toda a minha vida;
saborear a suavidade do Senhor
e contemplá-lo no seu templo.

Pois um abrigo me dará sob o seu teto
nos dias da desgraça;

no interior de sua tenda há de esconder-me
e proteger-me sob a rocha.

E agora minha fronte se levanta
em meio aos inimigos.
Ofertarei um sacrifício de alegria,
no templo do Senhor.
Cantarei salmos ao Senhor ao som da harpa
e hinos de louvor.

Glória ao Pai, ao Filho e ao Espírito Santo.
Como era no princípio, agora e sempre. Amém.

Oração

Augusta Rainha dos céus, altíssima
soberana Senhora dos Anjos.
A vós, que desde o princípio recebestes de Deus
o poder e a missão de esmagar a cabeça de Satanás,
nós vos suplicamos humildemente
que envieis vossas legiões santas,
para que, sob as vossas ordens
e por vosso poder, persigam os demônios,
os combatam por toda a parte,
reprimam sua audácia e os precipitem no abismo.
Amém.

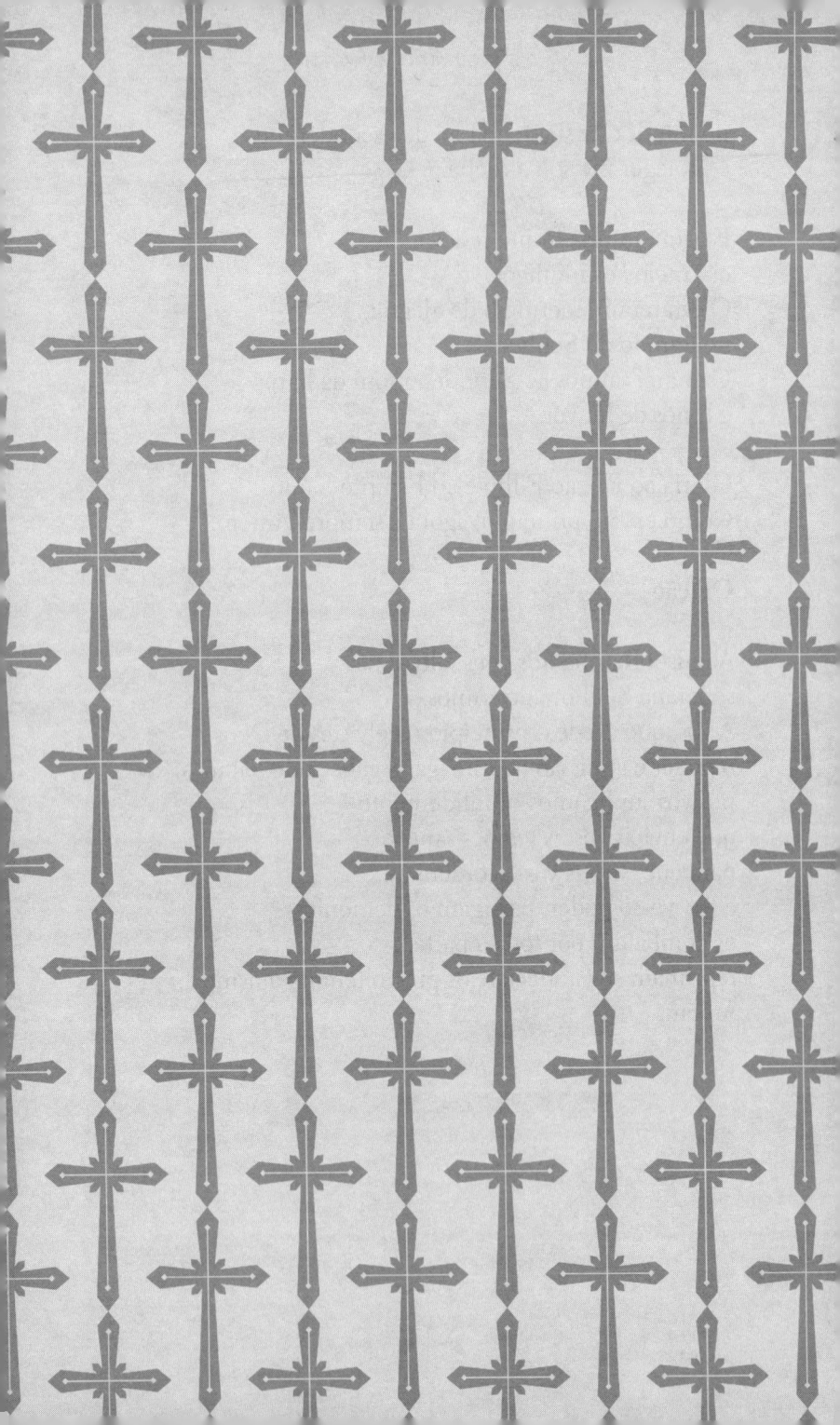

Capítulo 8

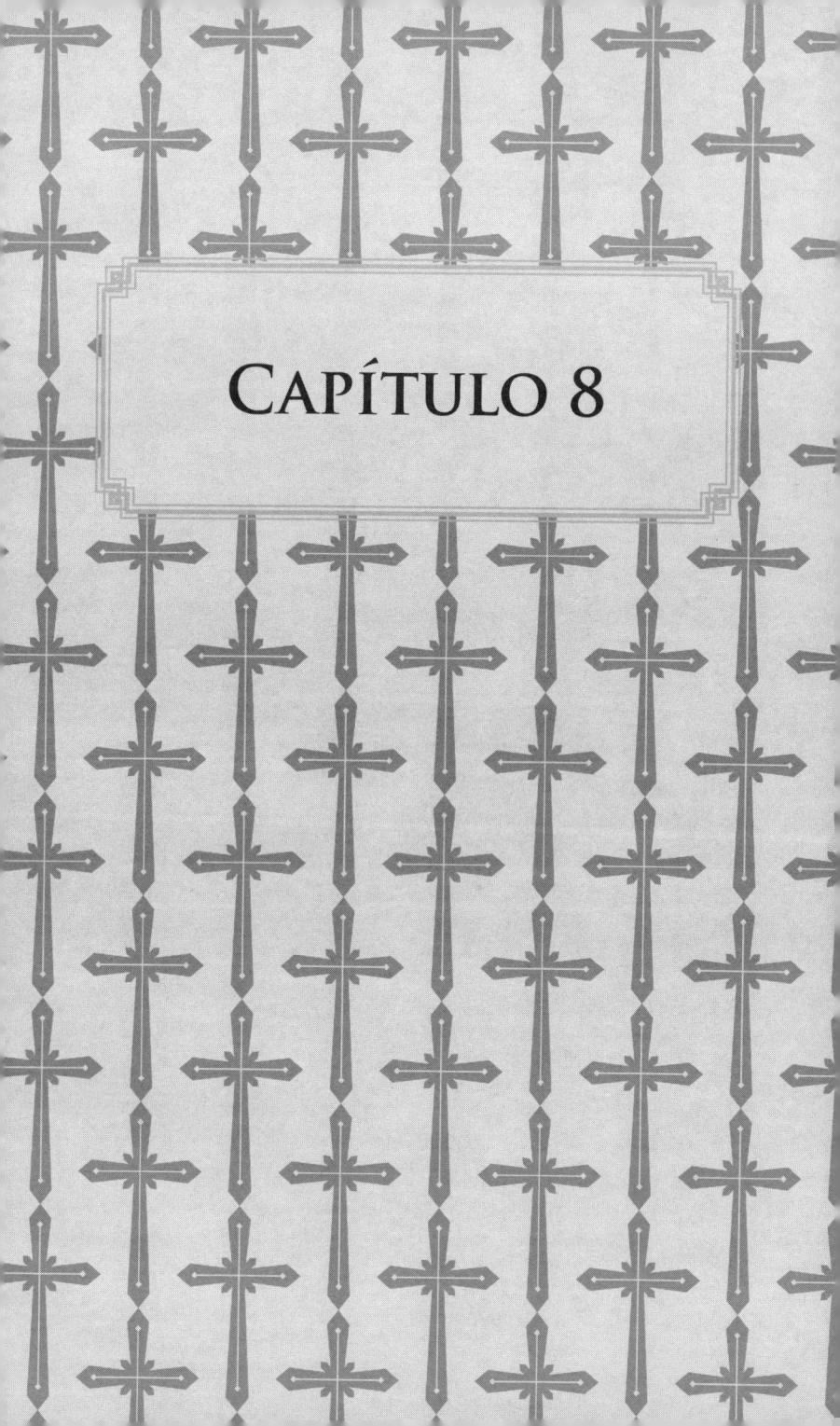

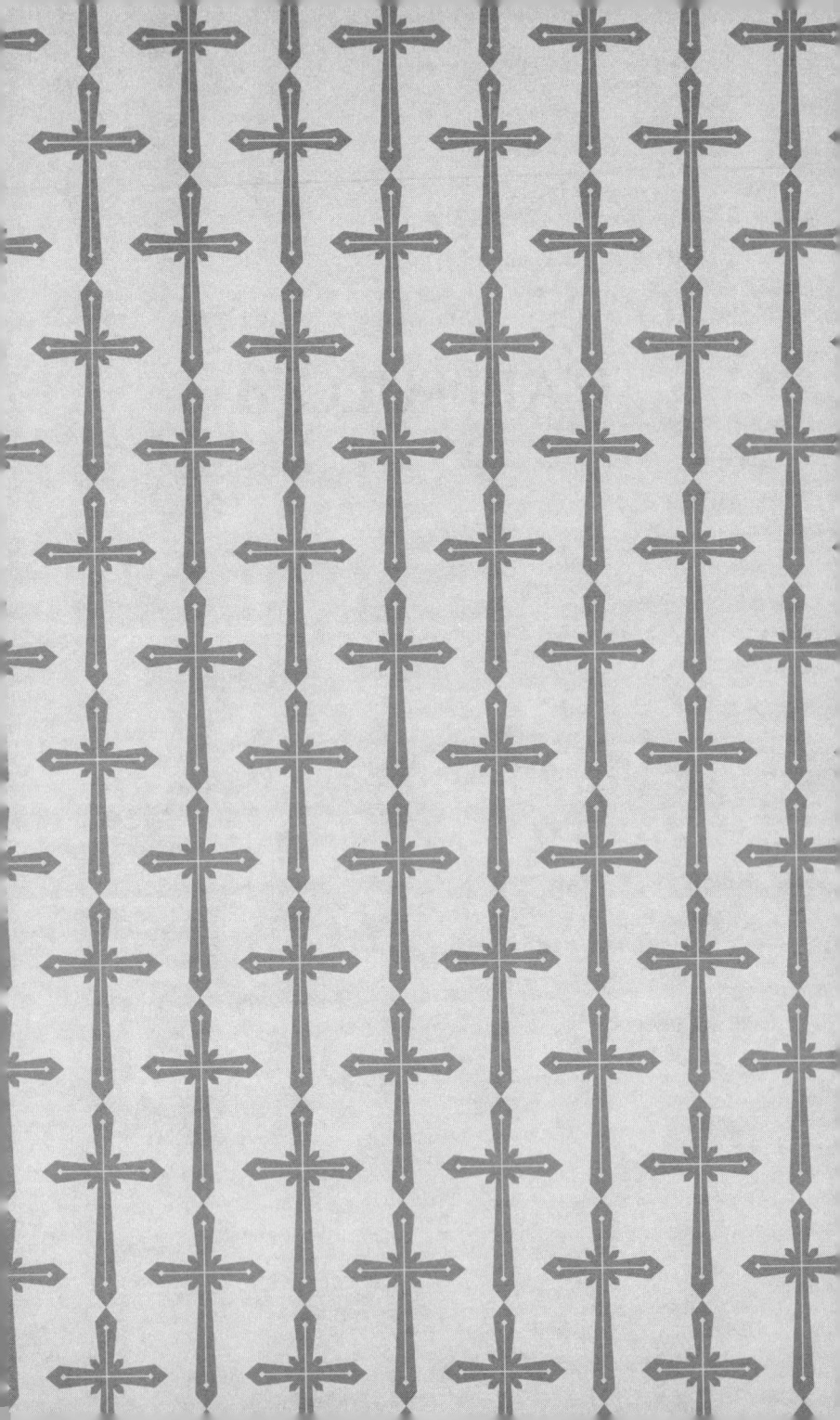

Vencendo o combate na nossa mente: para se libertar dos vícios

Quando pensamos a respeito do período da escravidão no Brasil e no mundo, ficamos horrorizados. Não compreendemos como seres humanos puderam tratar seus semelhantes de maneira tão cruel e desumana. Não importa a justificativa, seja ela a manutenção da economia colonial ou qualquer outra. No entanto, existe um tipo de escravidão que a pessoa imputa a si mesma e que pode ser igualmente atroz e destruidor: a escravidão dos vícios.

Embora certos vícios estejam associados a enfermidades que podem ser hereditárias — e tenho insistido nesse aspecto no caso do alcoolismo —, a dependência física, mental e espiritual pode ser equiparada à escravidão: cada um se torna escravo daquele que o domina (cf. 2 Pd 2, 19b), com o agravante de tratar-se, aqui, de uma escravidão voluntária, pois sempre temos a opção de enveredar por esse caminho ou não. Em outras palavras, é sempre o nosso "sim" que inicia todo tipo de vício.

Para complicar ainda mais, vivemos em uma sociedade na qual a busca pelo prazer momentâneo virou regra de vida, o que invariavelmente conduz à perdição dos maus hábitos. E não há tréguas, pois essa batalha contra os impulsos pecaminosos é resultado do nosso contato com o mundo material e dura a vida inteira.

Satanás conhece nossas fraquezas e lança iscas para nos tentar

Como já sabemos, Satanás é esperto, ardiloso e muito sutil. Seu principal método de ação é a mentira. Habilidoso, tudo o que quer é convencer-nos de que o mal é o bem e nada é pecado. Tentando aproveitar as brechas do livre-arbítrio concedido por Deus ao ser humano, ele e seus subordinados usam iscas sedutoras e enganosas para nos fisgar e induzir ao vício ou ao comportamento destrutivo, porque, dessa forma, enfraquecemos cada vez mais nossa vontade.

Ao aceitar a sedução, nossos desejos se tornam ídolos aos quais passamos a servir, embora, a princípio, tenhamos a ilusão de que nós os controlamos. Sem perceber, vamos criando em nosso íntimo altares para esses ídolos do escapismo e do proveito imediatista — prazer, sentimento de poder, alívio da dor, conforto, autoimagem melhorada —, que são cultuados e "acessados" por meio de substâncias e práticas como álcool, drogas, sexo, comidas, jogos, entre outras. Com o passar do tempo, fica cada vez mais difícil obter aquilo que se deseja. O organismo do dependente químico, por exemplo, torna-se progressivamente menos sensível à ação de determinada substância e precisa de uma dose cada vez maior para alcançar o mesmo efeito. Isso aumenta a sensação de desespero e o faz colocar o ídolo como prioridade em sua vida, acima da família, dos amigos, de si mesmo e até de Deus. Por trás desse comportamento há a presença silenciosa de Satanás, que aprisionou o dependente com a isca do prazer momentâneo e passa a exercer poder sobre ele.

O vício por comida é um dos mais disseminados na atualidade. Trata-se, sem dúvida, de uma forma de idolatria, em que basta ver ou sentir o cheiro do prato desejado para o compulsivo se colocar de joelhos à mercê de uma vontade descontrolada. Um dos indícios do avanço desse comportamento é o crescente número de casos de obesidade mórbida, que leva a sérias complicações de saúde. Jesus nos recomendou: "Velai sobre vós mesmos, para que os vossos corações não se tornem pesados com o excesso do comer, com a embriaguez e com as preocupações da vida; para que aquele dia não vos apanhe de improviso" (Lc 21, 34).

A compulsão sexual se encaixa dentro dessa mesma lógica de dependência e idolatria. Deus nos deu o maravilhoso dom da sexualidade, não somente para procriação, mas também como fonte de unidade, de proximidade e de comunhão na vivência do matrimônio. Fora desse contexto, ou seja, na luxúria, torna-se concupiscência, pecado da carne, e porta para a imoralidade. São Paulo nos alerta: "Fujam da imoralidade. Qualquer outro pecado que o homem comete é exterior ao seu corpo; mas quem se entrega à imoralidade peca contra o próprio corpo! Ou não sabeis que o vosso corpo é templo do Espírito Santo, que está em vós e que recebestes de Deus?" (1 Cor 6, 18-19). Quando a pessoa sempre cede ao desejo, este acaba virando um vício difícil de controlar, e atualmente podemos acrescentar a pornografia e o sexo virtual como tentações que agravam os maus hábitos e trazem consequências devastadoras.

O vício do jogo, por sua vez, está entre os mais prejudiciais, justamente porque o jogador compulsivo nunca sabe a hora de parar. Movido pela emoção ou pela "adrenalina", e mesmo que todas as probabilidades lhe sejam desfavoráveis ou haja perdas efetivas, ele se deixa levar pela fantasia de ganhar na tentativa seguinte e agarra-se a ela como se fosse uma tábua de salvação. Por isso, não hesita em gastar tudo o que tem, tomando mais dinheiro emprestado ou fazendo qualquer negócio.

Conheci um pai de família que apostou a própria casa em jogo de cartas e a perdeu. Ironias à parte, isso explica por que o jogo é uma indústria de sucesso, dado que sempre se perde muito mais dinheiro do que se ganha.

Quanto às drogas em geral, infelizmente, cada vez mais pessoas têm feito delas o deus da sua vida. Uma mudança curiosa e não menos alarmante que tenho constatado por meio de partilhas e pedidos de oração diz respeito à incidência de casos de ingestão de drogas por faixa etária. Se, antes, o perigo maior ocorria durante a adolescência, quando o caráter do indivíduo ainda está sendo moldado e se acentua a necessidade de autoafirmação, agora o problema parece atingir em maior proporção jovens mais maduros, que adentram esse submundo já formados na faculdade e, muitas vezes, com famílias constituídas.

Diferentemente de crianças e adolescentes que são cooptados sem ter consciência do que estão fazendo, esses jovens aparentam ter conhecimento de que esse sistema satânico leva ao processo de destruição, mas, como já ouvi diversas vezes, decidem assumir o risco em busca de uma válvula de escape diante dos obstáculos da vida. Para eles, basta uma breve sensação de euforia e já "saem no lucro".

Diante disso, fico pensando nos mais altos ideais com que Deus nos criou e nas conquistas que Nosso Senhor Jesus Cristo nos assegurou... A pessoa viciada se vê submissa à vontade do Inimigo ao nivelar por baixo a própria vida! Quantos sonhos de felicidade — emprego digno, família unida, consagração a uma causa nobre — são abandonados em nome dessa idolatria às drogas, que se torna a única razão para viver... Exagero? De jeito nenhum. Já ouvi depoimentos de pais cujos filhos preferiram sair de casa a buscar tratamento contra o vício.

Em particular, lembro-me da partilha de uma esposa que, após descobrir o vício do marido em cocaína, resolveu confrontá-lo: ou ela, ou a droga. Antes de terminar essa frase, ele advertiu-a para pensar bem, porque, embora a amasse, naquele momento não poderia optar por algo que estava abaixo da droga em sua escala de prioridades. Esse caso ilustra com precisão o poder de idolatria exercido pelas substâncias químicas. Trata-se de um poder tão grande que nada se torna mais "valioso" do que aquele desejo que domina o coração, o corpo, a mente e a alma da pessoa viciada.

O mesmo se aplica ao consumo excessivo de bebidas alcoólicas, que sempre causa estragos na vida do adicto e de toda a sua família. Frequentemente, pais, filhos, cônjuges e todos os que convivem com viciados em álcool são vítimas de abuso verbal e até físico. Fiquei impressionado com o desabafo de um homem, segundo o qual até seu cachorro se mostrou afetado por seu vício e passou a viver amedrontado, pois nunca sabia como seria tratado: se com agrado ou com um chute. De fato, quando estava embriagado, as brigas já começavam no portão de casa, com o animal de estimação, e depois prosseguiam com a esposa e os filhos.

Em âmbito social, o alcoolismo tem sido um dos grandes causadores de acidentes de trânsito, e muito se tem investido para a educação e a conscientização sobre essa ameaça, cujo saldo tem sido uma infinidade de mortes e sequelas físicas. Não obstante, o vício em álcool, assim como toda dependência ardilosamente insuflada pelo Inimigo, inibe a capacidade de fazer escolhas morais adequadas, levando o adicto a afundar cada vez mais nos erros e no pecado.

Por fim, devo mencionar algo mais. Há pouquíssimo tempo, li numa revista de grande circulação que há hoje um novo vício entre jovens, adultos e, provavelmente, também crianças: o vício em smartphones, cujo nome técnico é "nomofobia". Os médicos já vêm notando que o uso desordenado desses aparelhos gera certas alterações químicas no cérebro que, se interrompidas, podem causar síndromes de abstinência, a exemplo do que ocorre com dependências aparentemente mais graves, como drogas e álcool. Além disso, os usuários constantes desses smartphones sofrem, mais do que os outros, de problemas como ansiedade, insônia e impulsividade. É preciso, portanto, estar atento até a este tipo de uso. As coisas não foram feitas para nos escravizarem. Quantas vidas sociais não foram prejudicadas por causa de um aparelho que parece inofensivo? Quanta qualidade de vida não veio abaixo?

Não deixe de buscar a cura espiritual

Além de enfrentarem o adoecimento do organismo, normalmente as pessoas viciadas sentem-se culpadas em razão da perda do senso de moral. Devemos ter em mente que muitas delas chegam a mentir e até a roubar para saciar suas compulsões. No limite, acabam sucumbindo a uma degradação que as leva à falta de entusiasmo pela vida e à depressão. Por isso, mais do que nunca, precisam do apoio da família, dos amigos e, principalmente, de Deus para quebrar esse ciclo de autoabuso. Os tratamentos clínicos em diferentes frentes — desintoxicação, acompanhamento psicoterápico, grupos de apoio, nutrição adequada etc. — são necessários e fazem parte do caminho desejado por Deus para a libertação e a cura.

Como exemplo, mais uma vez cito uma partilha sobre alcoolismo que me chamou a atenção:

"Padre, já passei por essa experiência horrível. No começo, bebia nos fins de semana uma dose aqui, outra ali, e dizia com convicção: 'Bebo socialmente e paro quando quiser.' No entanto, eu estava enganado e já não conseguia parar. Foram anos de luta e brigas com minha família, e só comecei o processo de retomada da sobriedade quando tive a humildade de admitir que eu era um doente e precisava de ajuda. Antes de desgraçar completamente minha vida, procurei o AA [Alcoólicos Anônimos] e comecei a frequentar as reuniões. Sentia vergonha e vontade de beber, mas compreendi que Deus estava a meu lado e eu tinha que fazer a minha parte. A ajuda maravilhosa do grupo foi essencial para eu trilhar o caminho da recuperação."

Não se discute o fato de os vícios serem considerados enfermidades, e louvo a Deus pelos médicos e profissionais atuantes nessa área, estimulando sempre a busca pelos recursos disponíveis na medicina e na psicoterapia para a superação do problema. Por outro lado, essa também é, sim, uma enfermidade espiritual, e por isso afirmo, sem medo de errar, que é essencial passar por uma cura nesse âmbito.

Jesus já se entregou e sofreu por nós. Foi o mais alto preço pago pela nossa redenção. Não somos "qualquer um": somos filhos de Deus resgatados pelo Sangue de Jesus. Não importa em que situação a pessoa se encontre, se está ou não no ponto mais fundo do poço, aparentemente sem condições de conectar-se com Deus pela fé. Basta uma abertura, um minúsculo fio de esperança associado ao desejo de se libertar para o Senhor agir. "Com efeito, não temos um sumo sacerdote incapaz de se compadecer das nossas fraquezas, pois ele mesmo foi provado em tudo como nós, com exceção do pecado. Aproximemo-nos, então, com segurança, do trono da graça para conseguirmos misericórdia e alcançarmos graça, como ajuda oportuna" (Hb 4, 15-16). De todo modo, é importante lembrar que tudo deve partir da própria pessoa, repetindo o que tão bem compreendeu nosso irmão que relatou seu caso de dependência: "Faça a sua parte!" É consolador saber que Deus nunca deixa de fazer a parte Dele, ajudando-nos inclusive a fazer a nossa.

Não é fácil, mas é possível. Há passos para sair do vício. A vigilância tem que ser constante, incluindo todas as precauções para evitar situações de risco, como deixar para trás os lugares frequentados antigamente, as más companhias, as lembranças e os pensamentos tentadores... O Inimigo sabe onde nos encontrar.

"Portanto, não durmamos, a exemplo dos outros; mas vigiemos e sejamos sóbrios. Quem dorme, dorme de noite; quem se embriaga, embriaga-se de noite. Nós, pelo contrário, que somos do dia, sejamos sóbrios, revestidos da couraça da fé e da caridade, do capacete da esperança da salvação. Portanto, não nos destinou Deus para a ira, mas sim para alcançarmos a salvação, por nosso Senhor Jesus Cristo, que morreu por nós, a fim de que nós, na vigília ou no sono, vivamos em união com ele" (1 Ts 5, 6-10).

Todos temos porões escuros onde escondemos certas coisas de nós mesmos. Podemos facilmente identificar essas tentações nos perguntando quais desejos preferimos que fiquem escondidos nas sombras. Geralmente, são desejos contrários à Palavra de Deus suscitados dentro do nosso próprio coração. Às vezes, Satanás faz um ninho em nossa vida com as palhas que nós mesmos oferecemos. Ele vai montando o ninho com os elementos que damos, especialmente os maus sentimentos e as ações indignas.

Quem já teve experiência com animais peçonhentos vai entender o que digo. No caso dos ratos, por exemplo, basta matar um para logo aparecer outro. Então, a fim de acabar com todos de uma vez, é preciso detectar o ninho e destruí-lo. O mesmo ocorre quando aparece o medo, a revolta, a autoestima baixa, o sentimento de autodestruição — enfim, o que nos torna vulneráveis e capazes de praticar o mal. Com a ajuda do Senhor, temos que encontrar e destruir o ninho que o Inimigo fez em nossa vida, a começar pelos altares interiores que erguemos para idolatrar uma falsa sensação de bem-estar.

Os vícios (soberba, avareza, luxúria etc.) são pecados capitais e, como tais, podem ser combatidos com as virtudes. São Pedro recomenda: "Aplicai toda a diligência em juntar à vossa fé a virtude, à virtude o conhecimento, ao conhecimento o autodomínio, ao autodomínio a perseverança, à perseverança a piedade, à piedade o amor fraternal e ao amor fraternal a caridade. Com efeito, se possuirdes essas virtudes em abundância, elas não permitirão que sejais inúteis nem infrutíferos no conhecimento de nosso Senhor Jesus Cristo" (2 Pd 1, 5-8).

Nesse combate, precisamos aprender sobre a vulnerabilidade do coração humano e a sua inclinação ao pecado e à perversão das verdades de Deus em favor de algo que nos sirva egoisticamente. E, uma vez diante das tentações, devemos clamar pela luz, pelo discernimento e pela sabedoria do Espírito Santo, a fim de que percebamos e rejeitemos as fascinações perigosas que elas nos oferecem. O apóstolo Paulo sabiamente nos alertou: "Tudo me é permitido, mas nem tudo convém. Tudo me é permitido, mas não me deixarei escravizar por coisa alguma" (1 Cor 6, 12).

Deus nos criou para vivermos felizes, livres e em paz. Mas somente em Jesus Cristo somos vencedores, pois Ele, e nada mais, é a Verdade que liberta.

Para rezar

Salmo 24 (25)

Ant.: Recordai, Senhor meu Deus, vossa ternura e compaixão.

Para Vós, Senhor, elevo a minha alma.
Meu Deus, em vós confio: não seja eu decepcionado!
Não escarneçam de mim meus inimigos!
Não, nenhum daqueles que esperam em vós será confundido,
mas os pérfidos serão cobertos de vergonha.

Senhor, mostrai-me os Vossos caminhos,
e ensinai-me as Vossas veredas.
Dirigi-me na Vossa verdade e ensinai-me,

porque sois o Deus de minha salvação
e em Vós eu espero sempre.

Lembrai-Vos, Senhor, de Vossas misericórdias
e de Vossas bondades, que são eternas.
Não Vos lembreis dos pecados de minha juventude
e dos meus delitos;
em nome de Vossa misericórdia, lembrai-Vos de mim,
por causa de Vossa bondade, Senhor.

O Senhor é bom e reto,
por isso reconduz os extraviados ao caminho reto.
Dirige os humildes na justiça,
e lhes ensina a sua via.

Todos os caminhos do Senhor são graça e fidelidade,
para aqueles que guardam sua aliança e seus preceitos.
Por amor de Vosso nome, Senhor,
perdoai meu pecado, por maior que seja.

Que advém ao homem que teme o Senhor?
Deus lhe ensina o caminho que deve escolher.
Viverá na felicidade,
e sua posteridade possuirá a terra.
O Senhor se torna íntimo dos que o temem,
e lhes manifesta a sua aliança.

Meus olhos estão sempre fixos no Senhor,
porque ele livrará do laço os meus pés.
Olhai-me e tende piedade de mim,
porque estou só e na miséria.

Aliviai as angústias do meu coração,
e livrai-me das aflições.
Vede minha miséria e meu sofrimento,
e perdoai-me todas as faltas.

Vede meus inimigos, são muitos,
e com ódio implacável me perseguem.
Defendei minha alma e livrai-me;
não seja confundido eu que em vós me acolhi.

Protejam-me a inocência e a integridade,
porque espero em Vós, Senhor.
Ó Deus, livrai Israel
de todas as suas angústias.

Glória ao Pai, ao Filho e ao Espírito Santo.
Como era no princípio, agora e sempre.
Amém.

Oração

Senhor Jesus, eu quero me prostrar diante da maior
prova do Teu amor por mim: a Tua cruz redentora.
Reconheço todo meu pecado que pesou sobre o Teu corpo,
fazendo com que Teu Sangue jorrasse para o perdão
destes mesmos pecados.
Eu agora os apresento a Ti, arrependo-me deles.
Ó, Jesus, eu Te peço: perdoa-me por todo mal instalado
no meu coração, toda raiz de ódio, inveja, gula, julgamento,
maledicência, mentira, egoísmo, orgulho, vaidade, vícios e desre-
gramentos, preguiça, avareza, sensualidade, soberba, impaciência...
Eu me arrependo também de toda infidelidade a Ti,

das vezes que busquei a solução para os meus problemas
em lugares onde não Te professavam como único Deus, Senhor e Salvador.
Senhor, eu reconheço toda a minha fraqueza
e Te peço agora: dá-me a força do Teu Espírito,
para que eu não volte mais a pecar.
Liberta-me espiritualmente de todos os laços
que me prendem ao mal, para que eu caminhe em santidade
e possa contemplar um dia Tua face.
Jesus, tem piedade de mim!
Obrigado, Senhor, pelo Teu perdão.
Obrigado pelo Teu infinito amor.
Obrigado pelo Teu Espírito Santo.
Amém.

Capítulo 9

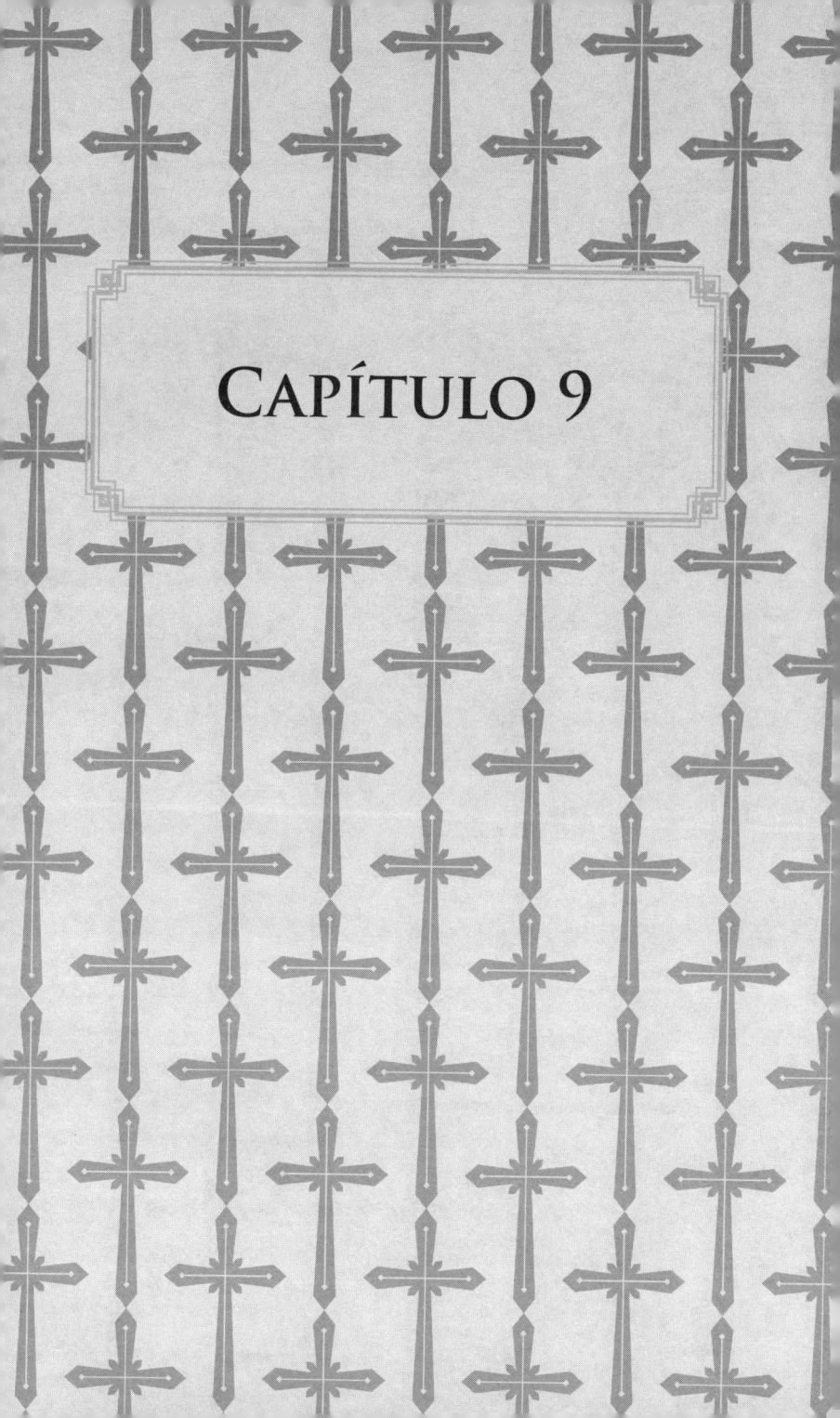

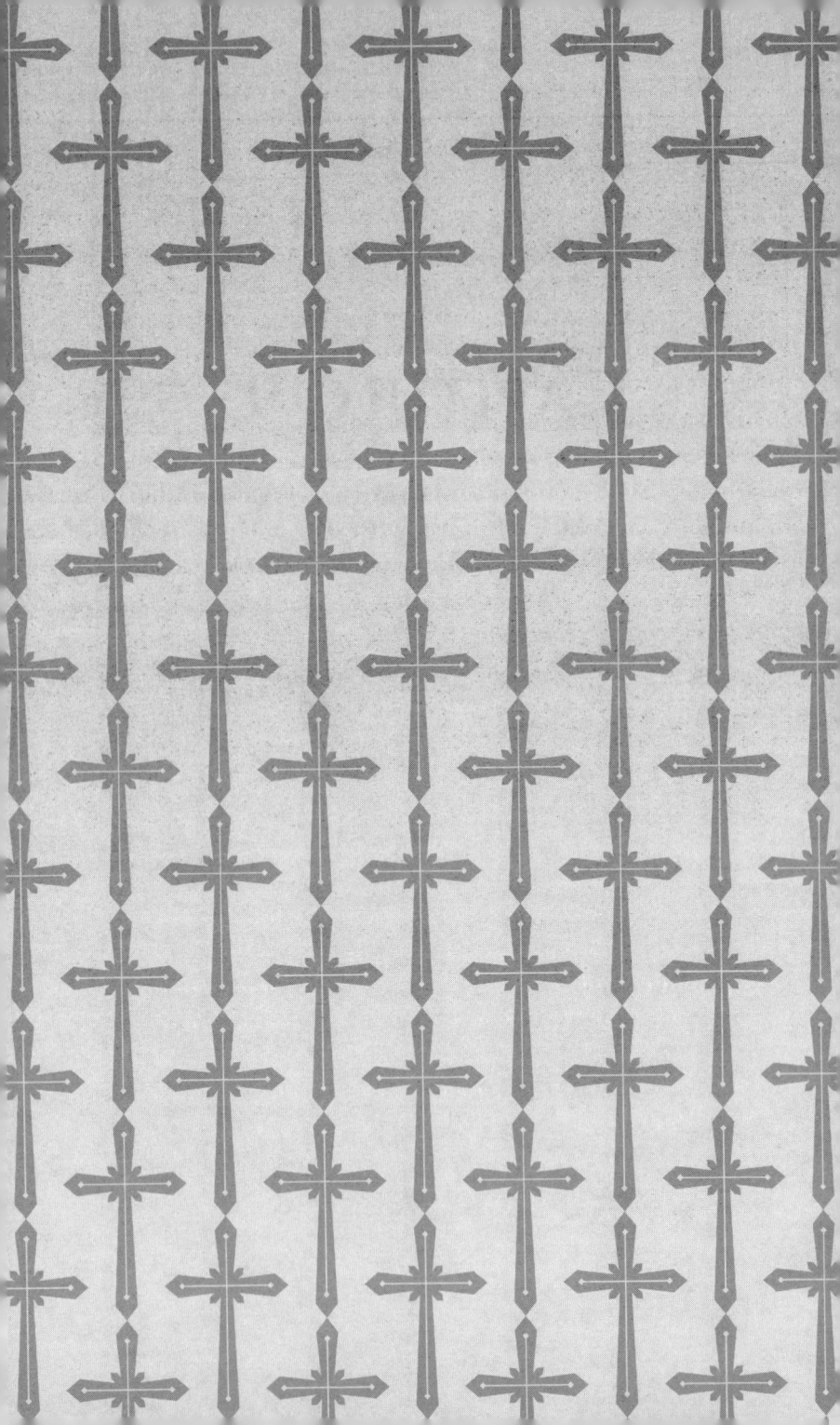

Vencendo o combate na nossa mente: para se libertar do pensamento suicida

Um dado assustador revela que a cada dia aumenta o número de casos de suicídio, principalmente entre os jovens. As estatísticas trazem um índice alarmante: a cada quarenta segundos, uma morte autoprovocada ocorre no mundo, a ponto de ter sido criada uma campanha de alcance internacional chamada Setembro Amarelo, em vigor desde 2014, cujo objetivo é conscientizar todos sobre a importância da prevenção do suicídio.

O pensamento suicida é alvo de muitos estudos e poucas respostas. Na Bíblia, encontramos algumas referências sobre o tema, como é o caso do rei Abimeleque. Por não aceitar a humilhação de morrer pelas mãos de uma mulher, que o ferira gravemente ao lançar contra ele uma pedra de moinho, cometeu o que podemos chamar de suicídio assistido, ordenando ao seu escudeiro que o matasse com uma espada (cf. Jz 9, 54). Já Saul e seu escudeiro se mataram para não caírem nas mãos dos inimigos, os filisteus (cf. 1 Sm 31, 4-6). Aitofel, por sua vez, conselheiro do rei Davi, enforcou-se quando seu conselho foi rejeitado (cf. 2 Sm 17, 23). Zimri, quinto rei de Israel Setentrional, chamou a atenção por ter governado apenas durante sete dias. Ocupou o trono após assassinar o rei Elá, mas, quando viu que a sede do seu reino estava prestes a ser retomada, ateou fogo ao próprio palácio onde habitava e foi consumido pelas chamas (cf. 1 Rs 16, 18).

Muitos também consideram o caso de Sansão como um suicídio altruísta. Após ter os cabelos cortados e os olhos furados, ele derrubou as colunas do templo e ali morreu juntamente com mais de três mil filisteus (cf. Jz 16, 21-30). Para completar, o mais famoso suicídio relatado pela Bíblia é o de Judas, que, pesaroso por ter traído Jesus, em vez de pedir perdão pelo pecado cometido, enforcou-se (cf. Mt 27, 3-5).

Nossa fragilidade favorece a ação do Inimigo

Todos somos diferentes, e cada pessoa reage de uma forma particular diante da dor emocional. Acredito que muitos de nós, em algum momento, já pensamos em dar fim à própria vida, o que inclui até mesmo homens abençoados com uma profunda intimidade com Deus, como consta na Sagrada Escritura. Moisés, por exemplo, passou por uma fase angustiante e pediu a Deus que o matasse (cf. Nm 11, 15). Elias também fez o mesmo pedido (1 Rs 19, 4). Jó, em dado momento, ansiou pela morte (cf. Jó 3, 1-21; 6, 8-9). Jeremias, então, nem se fale: amaldiçoou o dia de seu nascimento e desejou ter morrido no ventre de sua mãe (cf. Jr 20, 14-18). Contudo, nenhum deles arrogou-se o direito de tirar a própria vida e, revigorados no Senhor, levaram em frente a missão d'Ele recebida.

Mas de onde pode vir esse pensamento tão desolador?

O desejo de suicídio tem causas diversas — doenças, uma dor extrema, perdas, drogas, *bullying*, sofrimentos mentais ou transtornos psicológicos, entre outros — e, assim como a depressão, não está relacionado à fraqueza de personalidade ou à covardia. Trata-se, na maioria das vezes, de um problema de saúde, como tantos outros que acometem a frágil estrutura corporal do ser humano, porém a sua identificação não é tão óbvia como quando desenvolvemos uma doença física.

Da mesma forma, a demonstração de uma tendência suicida não significa que a pessoa esteja endemoniada. Ao mesmo tempo, apesar de nossa mente ser uma dádiva maravilhosa, também por meio dela o Inimigo, valendo-se de nossas fragilidades, pode nos tentar a realizar ações contrárias à vontade de Deus.

Por que digo que tirar a própria vida fere frontalmente os desígnios de Deus?

Refiro-me ao Quinto Mandamento da Lei de Deus, conforme a Igreja nos ensina: "O suicídio contradiz a inclinação natural do ser humano a conservar e perpetuar a própria vida. É gravemente contrário ao justo amor de si mesmo. Ofende igualmente o amor do próximo, porque rompe injustamente os vínculos de solidariedade com as sociedades familiar, nacional e humana, às quais nos ligam muitas obrigações. O suicídio é contrário ao amor do Deus vivo" (*Catecismo da Igreja Católica*, 2281).

Este combate espiritual começa quando o Inimigo se aproveita do estado de estresse, desânimo e desequilíbrio de uma pessoa, bem como dos problemas que ela está enfrentando e julga insolúveis. Desse modo, o Diabo lança em sua mente pensamentos altamente negativos que culminam na tristeza, na melancolia, na culpa, no medo, fazendo parecer que não há outra saída a não ser a morte. Ele não pode colocar uma corda no pescoço de alguém e pendurá-la, mas pode "soprar" essa sugestão na mente humana.

Recebo todo dia partilhas de pessoas que já tentaram tirar a própria vida ou pensaram seriamente nisso. Fiquei impressionado com o depoimento de um jovem, bom filho, estudioso, trabalhador, recém-formado, que sucumbiu à depressão e atentou contra sua integridade física. Segundo ele, sua mente estava presa e escravizada pelo pensamento de suicídio: "Parecia que havia um 'eu' dominado por outra coisa. Eu não pensava e não agia por mim mesmo. Por dentro, eu gritava em silêncio, implorando para voltar a ser quem eu era, mas minha mente me enganava e me escravizava. Parecia coisa de novela; só quem viveu o inferno sabe que ele é real."

Em geral, ao suicidar-se, a pessoa quer acabar com a dor e a tristeza e acredita sinceramente que, com a morte, isso terá fim. No entanto, está enganada, pois a dor momentânea pode até acabar, mas o legado de sofrimento que ela deixa se multiplica para os que amam e possuem vínculos com o suicida.

Além do sofrimento causado pelo fato de perder um ente querido, os familiares de pessoas suicidas se preocupam com a salvação delas. Faz parte do senso comum pensar que os suicidas estão condenados à morte eterna, mas essa sentença implica duvidar da misericórdia de Deus. Distúrbios psíquicos graves, além da angústia ou do medo incontrolável diante das provações, são atenuantes da responsabilidade do suicida.

Portanto, não devemos nos desesperar no que diz respeito à salvação das pessoas que se mataram. Deus pode, por caminhos que só Ele conhece, dar-lhes oportunidade de um arrependimento salutar. A Igreja não deixa de orar pelas pessoas que atentaram contra a própria vida e evita fazer juízos que só cabem a Deus (cf. *Catecismo da Igreja Católica*, 2282- 2283).

Renuncie aos pensamentos maléficos em nome de Jesus

Para nos preservarmos e mantermos o equilíbrio diante de toda e qualquer tribulação, devemos prestar muita atenção no combate que travamos em nossas mentes e redobrar o cuidado com nossos pensamentos. Temos de aprender a distinguir de onde eles provêm.

Por exemplo, os pensamentos que vêm de Deus são de esperança, perdão, paz, perseverança, paciência, amor, confiança e alegria. Trata-se de uma consciência que nos impulsiona a lutar e a acreditar na vida em abundância que Cristo veio nos trazer. Já os pensamentos que vêm do Inimigo são de medo, desânimo, morte, sedução e mentiras, os quais nos instigam a mentir, corromper, roubar, vingar, tramar, intrigar, separar, condenar, matar e destruir. Mesmo estando direcionados para outras pessoas, são pensamentos extremamente maléficos para quem os veicula. Num primeiro momento, podem até parecer combustível para nossa vitalidade, mas nos enfraquecem espiritualmente, deixando-nos vulneráveis a todo tipo de mal, incluindo doenças.

Então, quando vierem à cabeça esses maus pensamentos, afirmemos para nós mesmos, com convicção, quantas vezes forem necessárias: "Esse pensamento não é meu, não o aceito e renuncio a ele em Nome de Jesus." Feito isso, há que se esforçar para ter pensamentos edificantes e realizar ações voltadas para promover o bem, conforme São Paulo nos ensina: "Irmãos, tudo o que é verdadeiro, tudo o que é nobre, tudo o que é justo, tudo o que é puro, tudo o que é amável, tudo o que é de boa fama, tudo o que é virtuoso e louvável, eis o que deve ocupar vossos pensamentos" (Fl 4, 9).

Deve-se evitar ficar muito tempo parado ou deitado no escuro, remoendo problemas. Quem passa pela terrível experiência da depressão e já se viu dominado por pensamentos suicidas costuma se referir à ocorrência de uma escuridão persistente, como uma noite que não passa. Da mesma forma, ao narrar a derradeira ceia de Jesus com seus apóstolos, entre os quais estava Judas, que saiu para fazer o que decidira, João comenta: "Era noite" (13, 30).

Ora, não se trata de uma simples referência ao período que se instala após o sol se pôr, o que afinal de contas é óbvio por se tratar de um jantar. A expressão faz alusão à ausência da luz, ou seja, ao reino do Príncipe das Trevas que tentou Judas. Como já vimos, nós somos tentados a todo momento, então temos de nos fortalecer naquilo que nos fragiliza — de modo específico, em nossas noites escuras, de onde provém, entre outros males, a perda do sentido da vida. Temos de reagir, procurar ajuda psicológica e espiritual, falar sobre isso com pessoas de confiança, buscar tratamento, tomar a atitude de levantar e passar das trevas à Luz. Tudo é possível naquele que disse: "Eu sou a luz do mundo. Quem me segue não andará nas trevas, mas terá a luz da vida" (Jo 8, 12).

Neste ponto, quero me dirigir diretamente a quem tem pensamentos suicidas.

Perceba, meu filho e minha filha, que essa não é a saída. Deus vai restaurar sua força e sua alegria. Ele nos ama tanto que o preço pago por você, por mim, por todos nós, foi muito alto. Foi um preço pago com o sangue e a morte de Seu Filho na Cruz. Jesus sofreu por nós gratuitamente, somente por nos amar! A partir disso, nós podemos buscar uma valorização da nossa autoimagem. Não somos "qualquer um"; somos filhos amados de Deus. Erramos, falhamos, mas Deus nos ama. Se hoje o dia está cinzento, amanhã haverá sol.

Outra certeza que devemos cultivar é a de que o sofrimento não dura para sempre. "Tudo o que nasceu de Deus vence o mundo. E esta é a vitória que venceu o mundo: a nossa fé" (1 Jo 5, 4-5). Deus não se esquece de ninguém, e é d'Ele mesmo essa promessa: "Ó Céus, dai gritos de alegria, ó Terra, regozija-te, os montes rompam em alegres cantos, pois o Senhor consolou o Seu povo, Ele se compadece dos seus aflitos. Sião dizia: 'O Senhor me abandonou; o Senhor se esqueceu de mim.' Por acaso, uma mulher se esquecerá da sua criancinha de peito? Não se compadecerá ela do filho de seu ventre? Ainda que as mulheres se esquecessem, eu não me esqueceria de ti. Eis que te gravei nas palmas da minha mão" (Is 49, 13-16).

Que imagem linda! Estamos gravados na palma das mãos do Senhor, pois somos o objeto do Seu amor. Não desista! Com Deus, a vitória está garantida.

Para rezar

Salmo 142 (143)

Ant.: Fazei-me cedo sentir vosso amor, porque em vós coloquei a esperança!

Ó Senhor, escutai minha prece,
ó meu Deus, atendei minha súplica!
Respondei-me, ó Vós, Deus fiel,
escutai-me por Vossa justiça!

Não chameis Vosso servo a juízo,
pois diante da Vossa presença
não é justo nenhum dos viventes.

O inimigo persegue a minha alma,
ele esmaga no chão minha vida
e me faz habitante das trevas,
como aqueles que há muito morreram.
Já em mim o alento se extingue,
o coração se comprime em meu peito!

Eu me lembro dos dias de outrora
e repasso as vossas ações,
recordando os vossos prodígios.
Para Vós minhas mãos eu estendo;
minha alma tem sede de Vós,
como a terra sedenta e sem água.

Escutai-me depressa, Senhor,
o espírito em mim desfalece!

Não escondais Vossa face de mim!
Se o fizerdes, já posso contar-me
entre aqueles que descem à cova!

Fazei-me cedo sentir Vosso amor,
porque em Vós coloquei a esperança!
Indicai-me o caminho a seguir,
pois a Vós eu elevo a minha alma!
Libertai-me dos meus inimigos,
porque sois meu refúgio, Senhor!

Vossa vontade ensinai-me a cumprir,
porque sois o meu Deus e Senhor!
Vosso Espírito bom me dirija
e me guie por terra bem plana!

Por Vosso nome e por Vosso amor
conservai, renovai minha vida!
Pela Vossa justiça e clemência,
arrancai a minha alma da angústia!

Glória ao Pai, ao Filho e ao Espírito Santo.
Como era no princípio, agora e sempre.
Amém.

Oração

Deus onipotente,
que socorreis os desolados
e confortais os prisioneiros,
vede minha aflição
e manifestai Vosso poder
para auxiliar-me.
Vencei o detestável Inimigo
e fazei que, superada a presença do Adversário,
eu possa recuperar a paz e a liberdade.
Que assim, servindo-Vos com sincera piedade,
eu possa confessar que Vós sois admirável
e manifestar a grandeza das Vossas obras.
Por Cristo, nosso Senhor,
Amém.

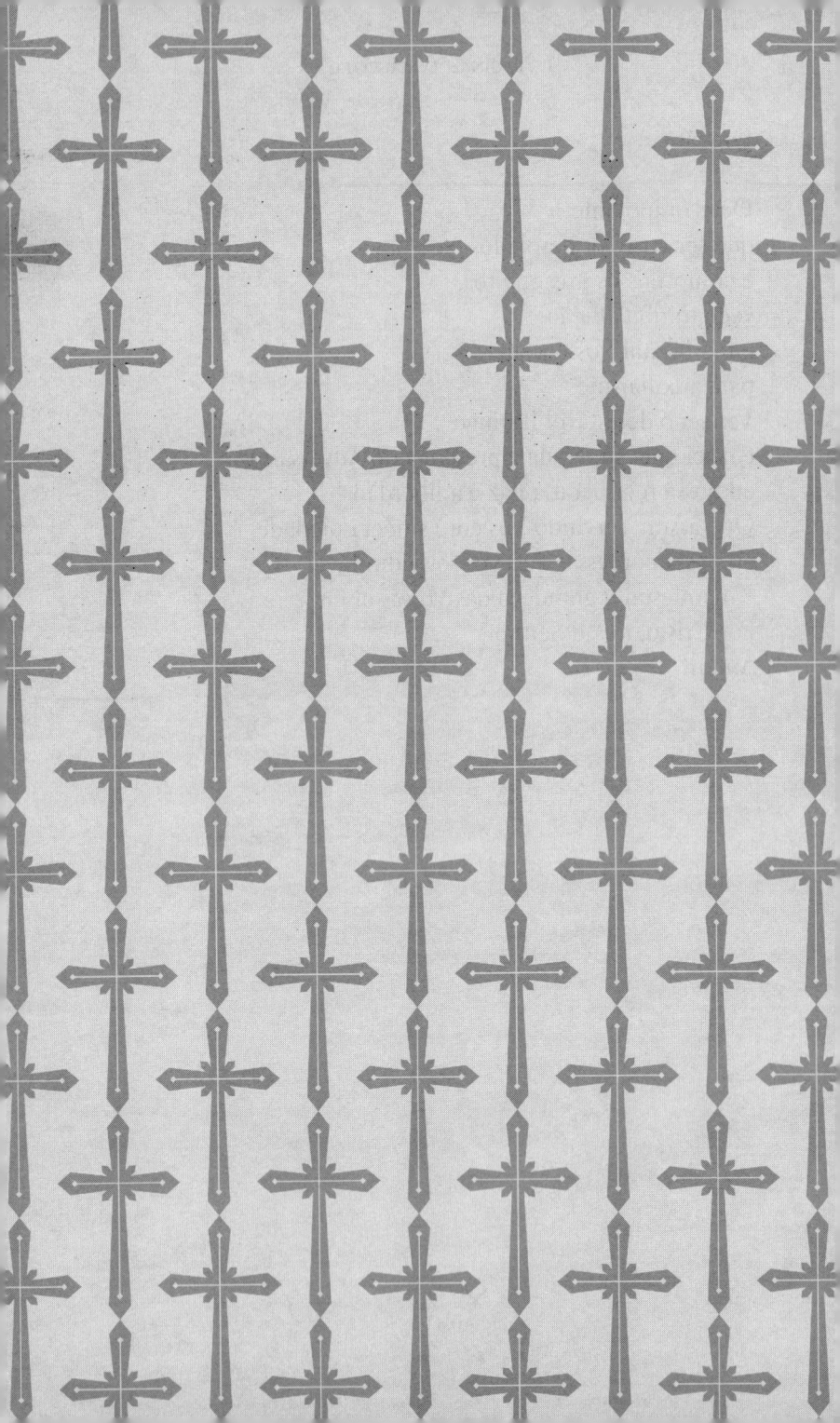

Capítulo 10

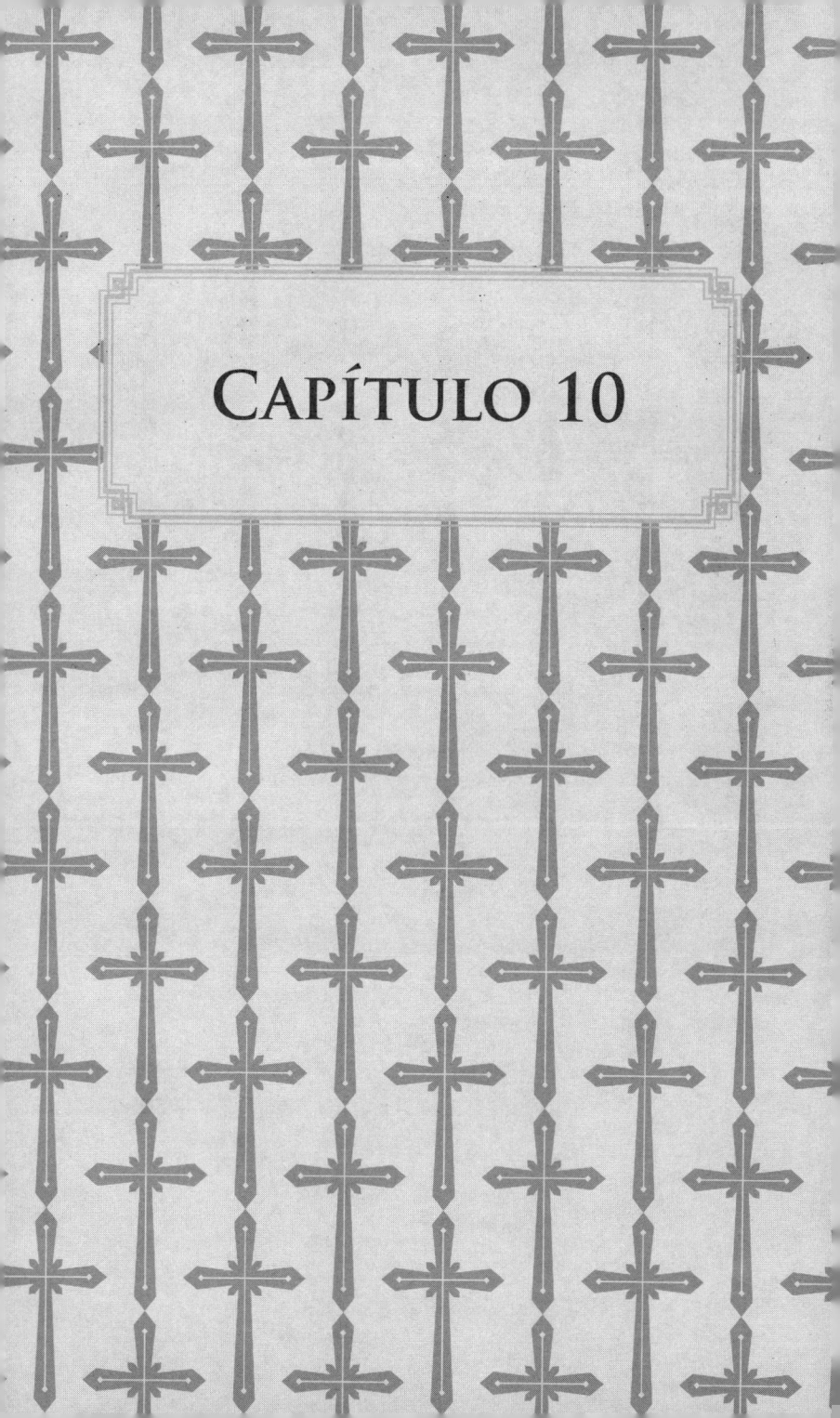

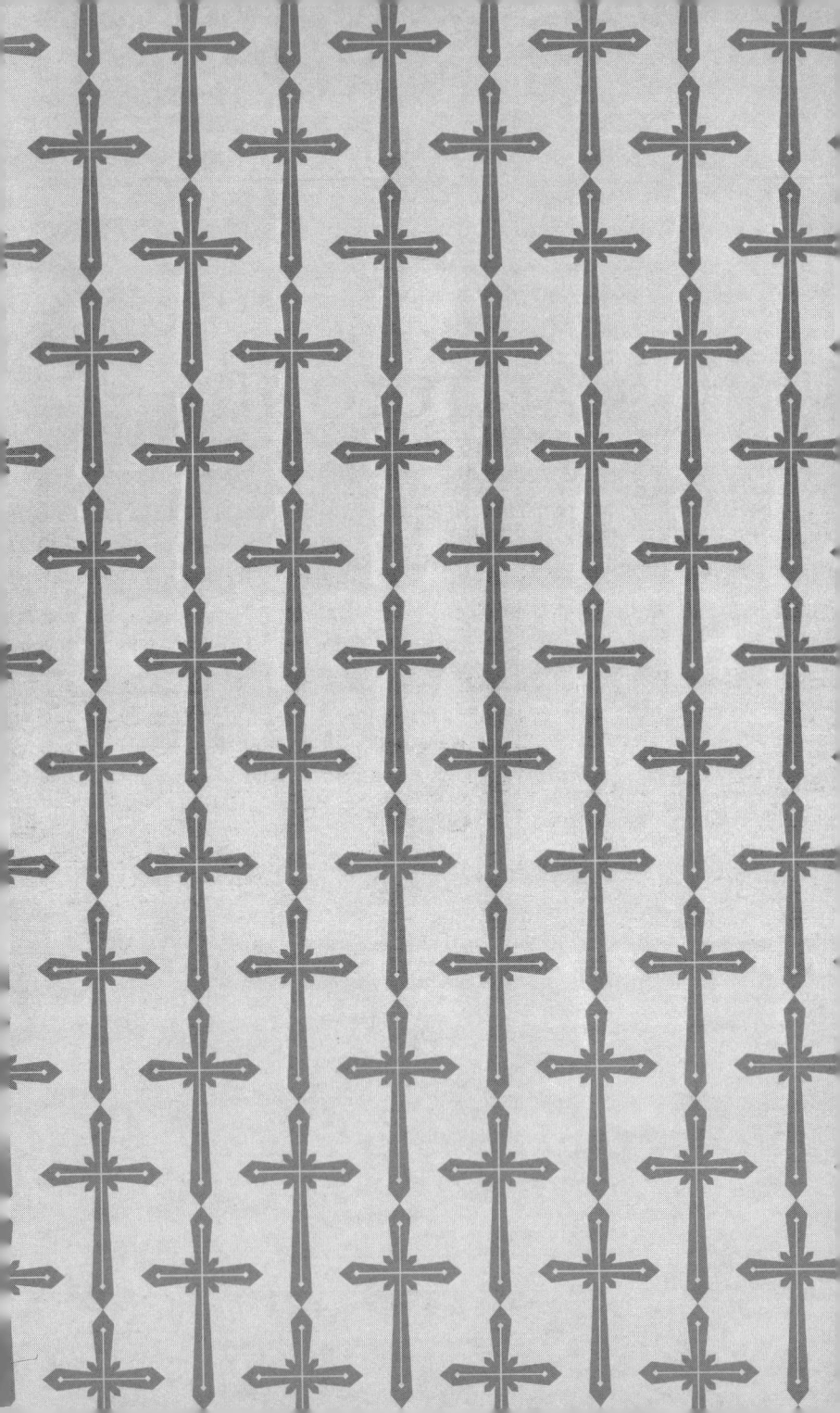

VENCENDO O COMBATE NA NOSSA MENTE: PARA SE LIBERTAR DO INDIVIDUALISMO E DO CONSUMISMO

Vivemos em uma sociedade materialista, competitiva e utilitarista, da qual o individualismo e o consumismo exagerados tornaram-se uma marca registrada. Isso pode até parecer um problema superficial diante de tantas catástrofes e mazelas, mas não é. Quando falo em comportamento individualista e consumista, refiro-me ao modo de pensar e de agir que atende apenas aos interesses do próprio indivíduo, sem se importar com as pessoas que estão em volta, o que fere gravemente os desígnios de Deus.

Não fomos criados para viver em uma bolha. Tanto é que o Criador fez o homem e lhe deu uma companheira (cf. Gn 2, 18)! Portanto, essa lógica centrada no "eu" vai contra a vontade de Deus, pois não deixa espaço para enxergar as necessidades do outro e muito menos atuar em prol do seu bem-estar. Isso acaba dando origem a um estilo de vida egoísta, em que "eu sou mais eu" e tudo gira em torno da própria pessoa, que passa a buscar apenas o que lhe dá prazer ou traz benefícios imediatos.

Quem cultua o "eu" atende aos planos do Inimigo

Satanás, mestre da persuasão, convenceu Adão e Eva a desobedecerem a Deus no afã de se tornarem "como Deus", conhecedores, ou seja, determinadores do bem e do mal. Ele também foi o primeiro a cultuar o "eu", atingindo o ápice desse comportamento ao desejar ser superior ao Criador. Ele, ademais, continua a atuar dessa forma no mundo, incitando muitos a se acharem o centro de tudo e a elegerem o próprio "eu" como seu "Senhor". Mesmo quando essas pessoas se aproximam de Deus, o fazem somente para resolver os próprios problemas, sonhos, projetos ou interesses, mostrando-se incapazes de se compadecer dos outros e rezar pelas suas dores.

Satanás também é mestre em julgar e avaliar os outros a partir de uma perspectiva que só valoriza o belo, o bom, o perfeito, o útil e o vantajoso. Por essa razão, quem não se enquadra nesses parâmetros ou, de alguma forma, representa um obstáculo à consumação de interesses pessoais tende a ser descartado. Isso é especialmente perigoso nesta sociedade em que cada vez mais certos grupos se acham no direito de determinar quem tem direito à vida e à sobrevivência.

Para incitar esse comportamento, o Inimigo se vale do nosso desejo ardente por aquilo que não temos e da sensação de vazio que isso provoca. O problema é que a riqueza, o poder, a pessoa cobiçada, ou seja lá o que for, não são capazes de preencher nem de satisfazer a necessidade da alma. Esta só pode ser preenchida pela presença de Deus. Jesus disse: "Eu sou o Caminho, a Verdade e a Vida. Ninguém vem ao Pai a não ser por mim" (Jo 14, 6).

A compulsão por compras, que em muitos casos pode estar associada a um distúrbio psicológico — caso em que é necessário investigar suas causas e realizar um tratamento adequado —, encaixa-se dentro dessa mesma lógica desesperada de tentar preencher o que só Deus preenche plenamente. Para agravar ainda mais o quadro, diariamente somos bombardeados com propagandas e mensagens que dizem ser necessário "ter mais" em vez de "ser mais". Elas optam pelo supérfluo em detrimento do essencial. A pessoa vale não por aquilo que é, mas pelo que possui.

Sei que vencer essa tentação é muito difícil, ainda mais com as facilidades de comprar pela internet, sem sair de casa. Nesse universo em que tudo está ao alcance de um clique, uma infinidade de bugigangas nos é oferecida; e, ainda que sequer saibamos para que elas servem, nós as compramos. Afinal, "é só passar o cartão". As crianças, diga-se de passagem, são o alvo preferencial desse tipo de "assédio comercial".

Uma das consequências materiais mais nefastas dessa prática é o endividamento, problema crescente entre as famílias brasileiras. Uma ouvinte do meu programa de rádio me pediu um aconselhamento sobre esse tema, alegando que não consegue organizar as próprias finanças. Ela é funcionária pública concursada e recebe uma boa remuneração, mas confidenciou que, quanto mais ganha, mais gasta. Está sem rumo, com dívidas resultantes de compras feitas com cartão de crédito e de contas atrasadas. Tem dois filhos e os cria sem a ajuda de um companheiro, e por isso tem de dar conta do orçamento sozinha. Segundo sua própria avaliação, ela quer que os filhos tenham o melhor, o que não é errado, mas acaba cedendo à tentação de "manter as aparências" a qualquer custo. Nas suas palavras: "Isso é muito tentador e me dá uma sensação de poder." Além das dívidas no final do mês, há ainda um ônus que chega à noite, quando ela perde o sono por causa da preocupação. Sua reação? "Se a tristeza não passa, eu passo o cartão", confessou. Ela então começa a visitar sites de lojas virtuais e, quando percebe, o estrago já está consumado novamente.

O que me deixou mais impressionado nesse relato foi a constatação feita pela própria ouvinte de que ela não está conseguindo construir nada na vida, nem mesmo um nome limpo. A situação é tão grave que ela pode até colocar em risco seu trabalho.

Infelizmente, são muitos os casos de pessoas que se encontram na mesma situação. Não obstante, enredadas pela influência do Inimigo, elas seguem buscando sua autoafirmação no "ter", quando na verdade, como já expliquei, nenhum bem material pode preencher o vazio de nossa alma, que é exatamente do tamanho da presença de Deus.

Outra realidade muito séria e triste que estamos vivenciando e que não posso deixar de citar é a da corrupção sem precedentes. Trata-se de ações desonestas praticadas por pessoas movidas por um desejo louco, uma ganância sem limites. O Diabo instiga tanto que, embora já tenham muito mais do que o suficiente para viver, elas nunca se satisfazem. A corrupção é uma motivação obscura, de difícil compreensão e, por isso mesmo, um projeto diabólico. Fico admirado de ver políticos que, embora já devam até estar usando fralda geriátrica de tão idosos, e muito provavelmente mal terão tempo de gastar o dinheiro roubado, prosseguem administrando sua rede de corrupção, sem se importar com o mal que isso provoca na sociedade como um todo.

Aprenda a resistir em Deus

Jesus, que experimentou as tentações do Inimigo e conhece todas elas, até mesmo as mais sutis, nos ensina a resistir. "Não podeis servir a dois senhores", alerta Ele, referindo-se aqui a Deus e ao dinheiro.

Não se trata, é claro, de pregar a vida sem bens materiais, e quem afirma isso tem uma visão muito simplista da Palavra de Deus. Como já expliquei, a Bíblia não condena o rico por sua riqueza, mas, sim, o apego exagerado às coisas terrenas, justamente porque esse sentimento se apossa do coração, substituindo o amor de Deus pelo amor do mundo. São João distingue os dois tipos de amor de forma precisa nesta passagem: "Não ameis o mundo nem o que há no mundo. Se alguém ama o mundo, não está nele o amor do Pai. Porque tudo o que há no mundo — a concupiscência da carne, a concupiscência dos olhos e o orgulho da riqueza — não vem do Pai, mas do mundo. Ora, o mundo passa com suas concupiscências; mas o que faz a vontade de Deus permanece eternamente" (1 Jo 2, 15-17).

O que Nosso Senhor nos ensina é que nós não podemos nos apegar e colocar nosso coração nos bens materiais, amando o dinheiro, manipulando o próximo para proveito próprio, ou mesmo sendo coniventes com a injustiça. Se desejamos ser discípulos de Jesus, temos que praticar a justiça a qualquer custo.

O grande problema é que nós não estamos verdadeiramente dispostos a pagar o ônus da nossa existência, e é aí que o Inimigo concentra todo o seu ataque contra a nossa salvação. É muito fácil seguir uma religião ou cultivar uma espiritualidade que atende apenas aos nossos próprios desejos ou vontades, segundo o que eu chamo de "filosofia do bem-estar". Só de falar em cruz, as pessoas se sentem incomodadas... Mas a verdade geralmente incomoda, não é mesmo? Jesus foi categórico ao dizer que quem quiser ser Seu discípulo deve renunciar a si mesmo, tomar a própria cruz e O seguir. Então, não camuflar a própria cruz com subterfúgios, sejam eles pílulas mágicas, sejam compras desenfreadas pela internet na calada da noite, é condição obrigatória para vencermos essa batalha.

Quando Deus fala em renunciarmos a nós mesmos para segui-Lo, se refere à ideia do desapego como um caminho, ou seja, como algo que não alcançamos do dia para a noite e que somente se conquista com o tempo e com muita força de vontade. De minha parte, sugiro começar com alguns autoquestionamentos na hora de fazer mais uma comprinha: "Eu realmente preciso disso?", "Posso pagar?", "Que benefício esse item trará para minha vida?", "Estou comprando movido pela necessidade ou por outro sentimento?", "Estou influenciado pela vontade de terceiros ou por propaganda sedutora?".

Desapego é sinônimo de liberdade, lembrando que nenhum pássaro voa de verdade se não for totalmente livre. Se a ave ficar presa em uma gaiola, com as asas fechadas, pulando de um poleiro para outro, não aprende a voar. Uma pessoa apegada é como um pássaro engaiolado: nunca verá ou sentirá a leveza do vento, a liberdade de voar nas alturas. Por isso, o Inimigo vive nos aprisionando na gaiola do pecado, do individualismo e das compulsões. Ele quer nos afastar de Deus para impedir aquilo que o profeta Isaías tão bem descreve nesta passagem: "Os que confiam no Senhor renovam as suas forças, abrem asas como as águias, correm e não se fatigam, caminham e não se cansam" (Is 40, 31).

No caminho para nos desapegarmos, devemos zelar em dobro, justamente por esse ser um dos nossos pontos mais frágeis. Acrescento aqui um paralelo com a estratégia dos atletas de lutas, que passam o tempo todo tentando descobrir as vulnerabilidades dos adversários para derrubá-los no ringue. Em nossa vida, é o Inimigo quem nos observa tentando descobrir e atacar o ponto em que somos mais frágeis, e por isso há que se vigiar e não arriscar. "Sujeitai-vos, pois, a Deus; resisti ao Diabo e ele fugirá de vós" (Tg 4, 7).

Ainda no campo da reflexão, Jesus é bastante incisivo ao questionar diretamente: "De que adianta o homem ganhar o mundo inteiro, se perde a própria vida?" (Mc 8, 34-37). E eu faço coro às palavras d'Ele: de que adianta ganharmos o mundo inteiro e nos perdermos no individualismo, no consumismo, na ganância e em glórias vãs? E você, filho, filha, em que está se perdendo hoje?

O maior risco é sempre nos perdermos de nós mesmos e não sabermos mais voltar: "Onde eu me perdi? Onde deixei escapar minha intimidade com Deus?" O fruto disso é a destruição da vontade de viver, que é o maior objetivo de Satanás.

São Paulo afirma: "Não vos iludais; de Deus não se zomba. O que o homem semear, isso colherá: quem semear na sua carne, da carne colherá corrupção; quem semear no espírito, do espírito colherá a vida eterna. Não desanimemos na prática do bem, pois, se não desfalecermos, a seu tempo colheremos. Por conseguinte, enquanto temos tempo, pratiquemos o bem para com todos" (Gl 6, 7-10a).

De acordo com São Paulo, existem precisamente dois terrenos, o da carne e o do espírito, o do mundo e o de Deus. Então, pare e pense: em qual deles você está semeando? No terreno mundano, colheremos a morte; no divino, a eternidade. Enquanto estamos aqui na Terra, Satanás usa de todos os meios para nos seduzir, despertando anseios e vontades contrários aos padrões de Deus. De nossa parte, tudo são escolhas.

Maria, a Mãe de Jesus, por exemplo, fez a sua: "Faça-se em mim segundo a Tua palavra" (Lc 1, 38). Doeu? Sim, como doeu, e muito!

Maria sempre esteve atrás de Jesus, na assistência, na cooperação que não visa atrair os holofotes para si... Pouco materialmente se fala sobre ela na Bíblia, com exceção do evangelista Lucas, em razão da convivência com a Virgem Maria durante sua estada na cidade de Éfeso, como diz a tradição. Contudo, a ausência de Nossa Senhora nas Sagradas Escrituras é compreensível justamente por ela não ser o centro da evangelização, que é ocupado por Jesus. Nos momentos cruciais, porém, Maria sempre esteve presente. Ela dividiu a Cruz com Jesus muito mais, até, do que Simão Cirineu, homem constrangido a ajudá-Lo durante o caminho do Calvário, o que a torna o maior exemplo de discipulado e união com Cristo, priorizando o amor ao Senhor em detrimento de si mesma.

Assim como fez Nossa Senhora, deixemo-nos inundar pelo amor de Jesus para darmos sentido à nossa vida, combatendo assim o individualismo e o consumismo. Com ela, podemos vencer essa batalha.

Para rezar

Salmo 111 (112)

Ant.: *Mostrai, ó Senhor, vossa bondade. Meu coração, por Vosso auxílio, rejubile.*

Feliz o homem caridoso e prestativo,
que resolve seus negócios com justiça.
Porque jamais vacilará o homem reto,
sua lembrança permanece eternamente!

Ele não teme receber notícias más:
confiando em Deus, seu coração está seguro.
Seu coração está tranquilo e nada teme,
e confusos há de ver seus inimigos.

Ele reparte com os pobres os seus bens,
permanece para sempre o bem que fez,
e crescerão a sua glória e o seu poder.

O ímpio, vendo isto, se enfurece,
range os dentes e de inveja se consome;
mas os desejos do malvado dão em nada.

Glória ao Pai, ao Filho e ao Espírito Santo.
Como era no princípio, agora e sempre.
Amém.

Oração

Glorioso São Bento, a vossa santidade,
unida à força de Deus em vossa alma
e em vossa mente, vos tornou capaz de desmascarar
a trama dos maus.
Até o copo com veneno estremecendo partiu-se em mil pedaços,
e a droga venenosa perdeu sua força maléfica.
São Bento, em vós confio! Dai-me calma e tranquilidade:
dai força à minha mente e ao meu pensamento para que,
unindo-me ao poder infinito de Deus,
eu seja capaz de reagir contra as ameaças do mal espiritual,
da calúnia e da inveja.
Ajudai-me também a vencer as doenças do meu corpo e da minha mente.
Que Deus me ajude e São Bento me proteja.
Amém.

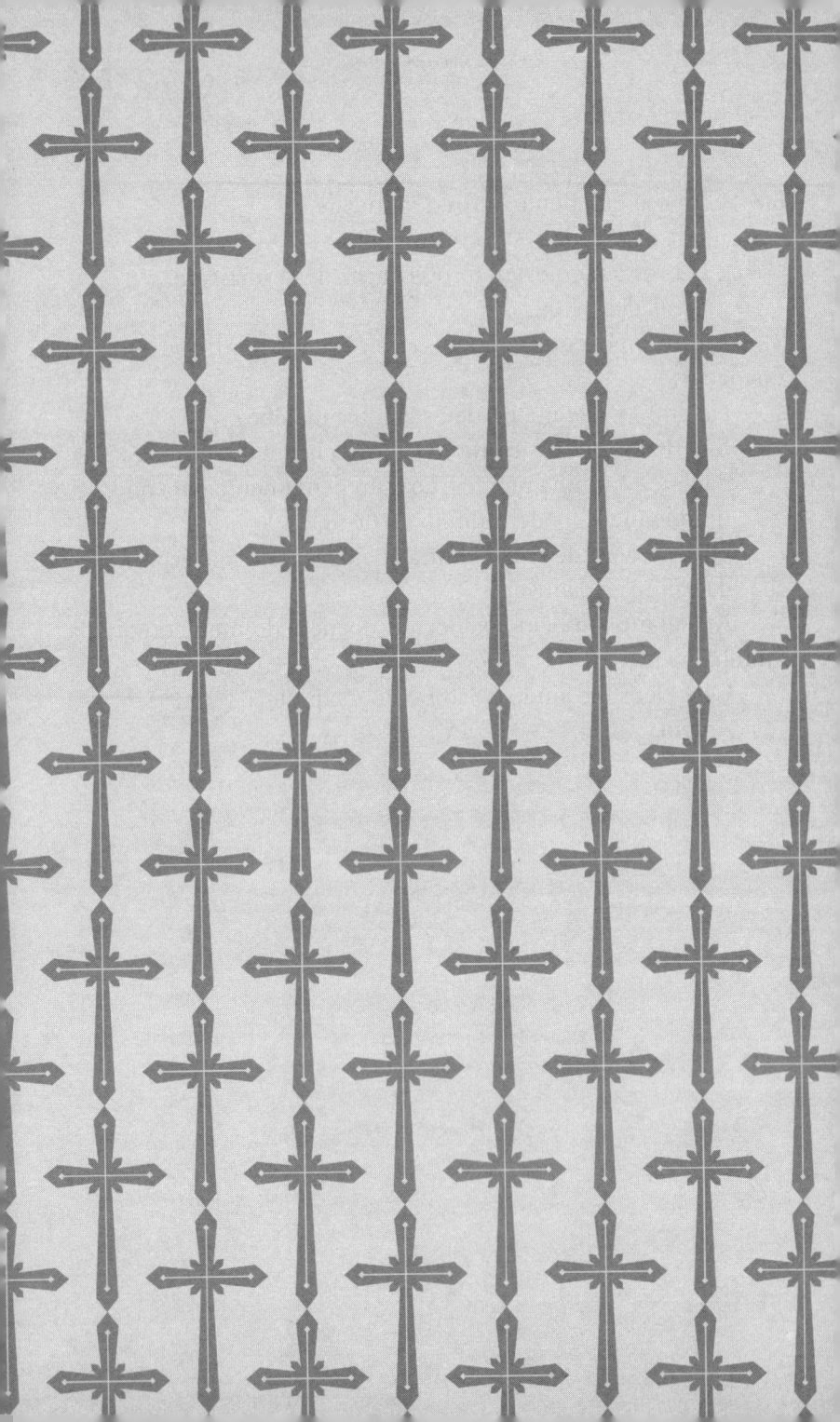

Capítulo 11

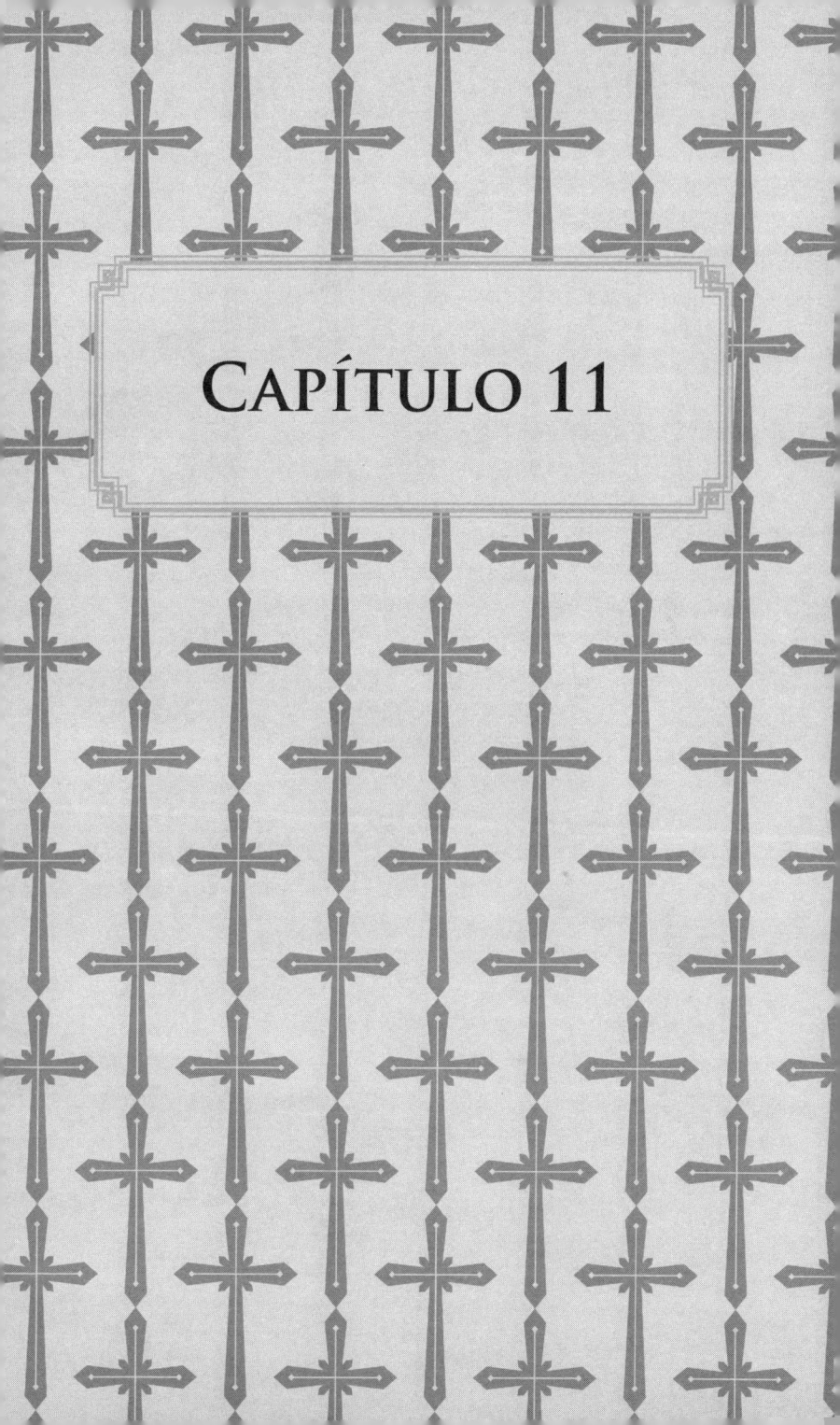

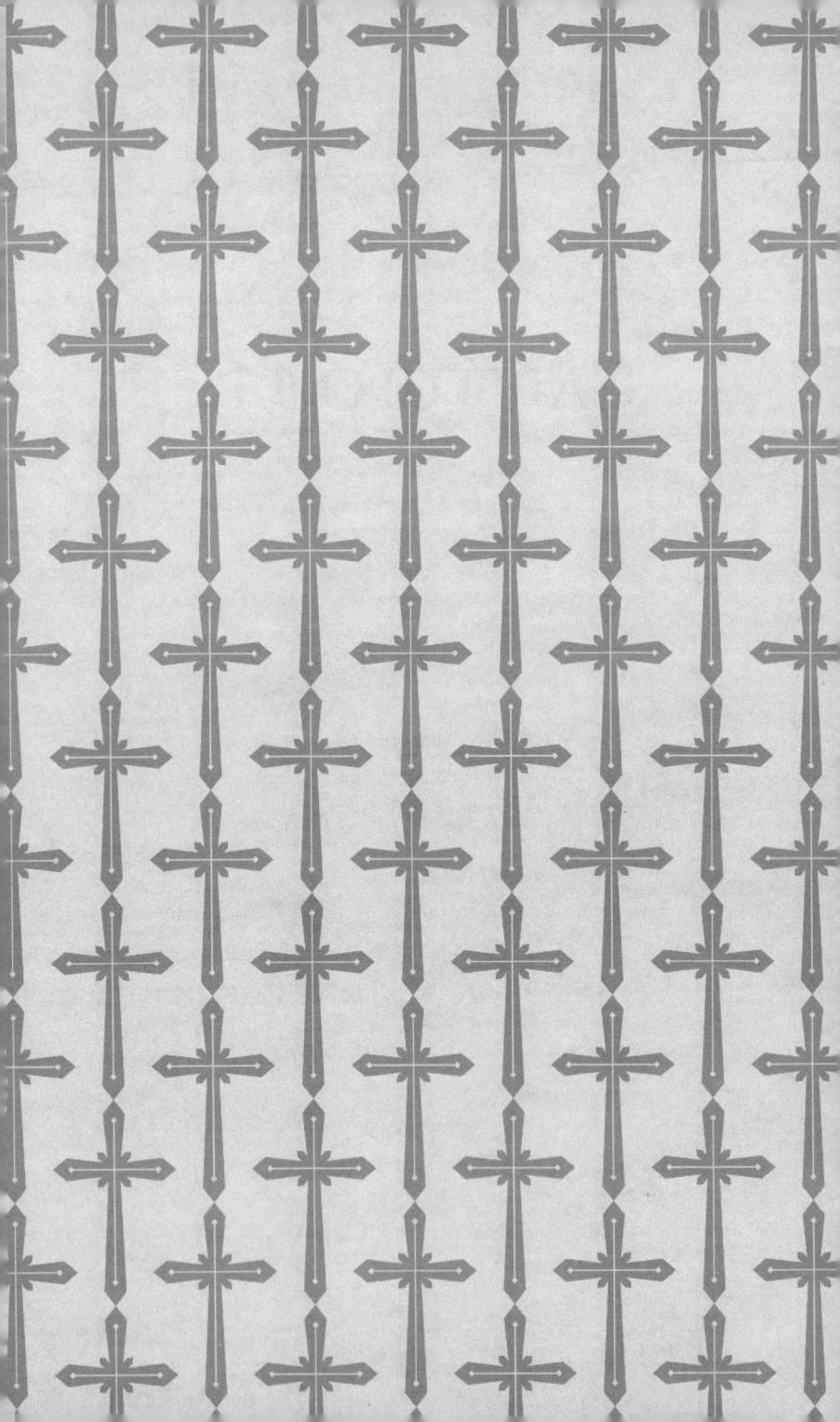

Vencendo o combate na nossa fé: para se libertar da revolta contra Deus

Ninguém gosta de sofrer. No entanto, na maioria das vezes não temos escolha. Enfermidades e doenças infelizmente fazem parte da condição humana. A dor e o sofrimento são universais. Tenho pregado com frequência que Deus não manda diretamente sofrimentos e tribulações, pois Ele é o Sumo Bem, a plenitude do amor e um Pai amoroso que nos quer felizes. Mas, então, por que existe o sofrimento?

Um dos maiores teólogos de nossa era é o Papa Emérito Bento XVI, que nos ensinou por muito tempo a necessidade de encontrarmos um alicerce espiritual. Certa vez, ao ser questionado sobre o motivo pelo qual crianças nascem cegas ou sem um de seus membros, ele abaixou a cabeça e, com humildade, respondeu: "Eu não sei." Apesar do notório saber acumulado em anos dedicados aos estudos teológicos, Bento XVI não hesitou em reconhecer o mistério que envolve a fragilidade humana. São Tiago também nos faz refletir sobre isso ao ponderar: "E, no entanto, nem sabem o que vai acontecer amanhã! O que é a vida de vocês? Uma neblina que aparece um pouco e logo desaparece!" (Tg 4, 14).

Eu mesmo tenho tentado descobrir as causas e as razões pelas quais crianças e pessoas piedosas sofrem. Já li muito a respeito, como também debati com irmãos sacerdotes mais estudiosos que eu, mas as respostas não me soaram muito convincentes. Costumo dizer que, se eu merecer um dia estar na presença do Altíssimo, essa será a primeira pergunta que farei.

Satanás é mestre em incitar a revolta contra Deus

Quando a revolta nos invade, queremos pôr a culpa em alguém. E muitos podem até pensar: "Lá vem o padre de novo falar em capeta!" Não se trata de procurar conexões com a ação do Diabo em tudo o que ocorre de mal, e sim de mostrar que somos tentados incansavelmente por ele, sobretudo no que pode nos separar do Criador. E é justamente quando estamos mais vulneráveis, com a paz interior abalada e o chão aberto sob nossos pés, que o Inimigo aproveita para incitar a revolta contra Deus.

Muitas pessoas, diante de situações de extremo sofrimento, tendem a colocar a culpa no Senhor. Dou como exemplo a partilha de uma mãe que perdeu o filho em um acidente causado por um motorista embriagado. Ela não se conformava e quis saber: "Que Deus é esse?! Ele não é onipresente, onisciente e onipotente? Então Ele sabia que meu filho iria morrer daquela forma, naquele dia. Por que permitiu?" E ainda: "Por que meu filho está morto e o bêbado imprudente que o matou está vivo e solto?"

A resposta à primeira questão é afirmativa. Sim, Deus se encontra em toda parte, e por isso está ciente de tudo; Seu poder também é ilimitado. Porém, apesar disso, não interfere na livre escolha de cada um, ou seja, não retira de nós a disposição de agir desta ou daquela maneira. O nosso livre-arbítrio é um presente maravilhoso de Deus: Ele não nos quis como fantoches ou marionetes, e por isso permitiu que sejamos livres e nos deu a sabedoria e a consciência para sabermos que o uso de nosso livre-arbítrio, dependendo das escolhas feitas, também pode trazer consequências desastrosas. Todos sabemos o que é certo e o que é errado, pois contamos com a plena revelação: as palavras do Verbo de Deus feito carne, isto é, Jesus Cristo.

No caso dessa mãe, ocorreu algo que Deus não queria, mas, em função do livre-arbítrio, da liberdade de agir segundo a própria consciência, aquele motorista escolheu ingerir bebida alcoólica e dirigir, assumindo o risco de matar. Logo, o desfecho não pode ser atribuído à vontade de Deus, mas à atitude de um cidadão que exerceu sua liberdade de fazer escolhas de forma irresponsável e fatal.

A resposta à segunda questão feita pela mãe é que a justiça dos homens é falha. Assim, infelizmente nós somos regidos por leis e normas que nem sempre atendem às nossas expectativas e ao nosso senso de justiça.

Libertar-se da falsa imagem de Deus é o caminho para vencer a revolta

Assim como ocorreu no caso relatado, neste momento existem muitas pessoas que estão revoltadas com Deus e precisam passar por um processo de cura e perdão. Não se trata apenas de curar as próprias feridas e conceder nosso perdão tanto aos responsáveis pelo mal que nos foi causado quanto a nós mesmos. É preciso mais. Para aliviar o coração e recuperarmos a paz interior, precisamos nos libertar da falsa imagem que fazemos de Deus — aquela que o Inimigo faz questão de difundir.

Vivemos em um contexto mundano e enxergamos tudo o que está à nossa volta sob esse prisma, que é profundamente marcado pela influência do Maligno. Com isso, criamos e nos relacionamos com uma imagem de Deus que não é verdadeira. Ele, o Inimigo, nos cerca o tempo todo com espelhos, e aquilo que enxergamos ao nosso redor são reflexos dos nossos próprios atos. Já a real presença divina está um passo além. Nesse campo de simulacros, temos de nos manter muito atentos e jamais perder de vista que Deus é sumamente misericordioso. Ele é providente, e a Sua providência é, acima de tudo, bondosa, sábia e imutável.

No Evangelho de Mateus, encontramos a seguinte passagem: "Por aquele tempo, Jesus pronunciou estas palavras: 'Eu Te bendigo, Pai, Senhor do Céu e da Terra, porque escondeste estas coisas aos sábios e entendidos e as revelaste aos pequenos. Sim, Pai, eu Te bendigo, porque assim foi do Teu agrado. Todas as coisas me foram dadas por meu Pai; ninguém conhece o Filho, senão o Pai, e ninguém conhece o Pai senão o Filho e aquele a quem o Filho quiser revelá-lo. Vinde a mim, vós todos que estais aflitos sob o fardo, e eu vos aliviarei. Tomai meu jugo sobre vós e recebei minha doutrina, porque eu sou manso e humilde de coração e achareis o repouso para as vossas almas. Porque meu jugo é suave e meu peso é leve.'" (Mt 11, 25-30).

Portanto, nós devemos louvar esse Deus que é Pai. No texto, por três vezes Jesus chama Deus de Pai, e somos convidados a também nos relacionarmos com Ele dessa forma. Faz parte da Boa-nova de Jesus enfatizar que Deus é Pai e, como tal, ama a todos. Deus é o nosso "paizinho".

Deixemos nossas concepções prévias um pouco de lado para nos apresentarmos diante de Deus. Compreender o plano d'Ele para nós é a chave para entendermos as limitações que carregaremos a vida inteira. Somos chamados a olhar para Ele na Sua providência bondosa, sábia e imutável. Por isso, eu pergunto: "Quem é Deus para você? Ele é *Pai?*"

Dessa resposta decorre a consumação, ou não, do projeto de Deus para nós.

Enquanto estamos sob o efeito da falsa imagem de Deus, acreditamos no abandono e agimos como se Ele fosse alheio à nossa realidade. É como se Deus tivesse nos criado e ficasse assistindo "de camarote" a nossos percalços. Não por acaso, muitos costumam culpá-Lo por tudo de errado que acontece em sua vida. É mais ou menos aquele pensamento: "A desgraça é minha e eu coloco a culpa em quem eu quiser!" Sei de pessoas que enfrentaram grande sofrimento em razão de conflitos com seus pais biológicos ou de criação e que sentem dificuldades para rezar aquela oração que nos foi revelada pelo próprio Cristo: o Pai-nosso. Elas fazem uma associação equivocada entre a figura de seus pais na Terra e o nosso Pai que está no Reino dos Céus. Isso as torna, na melhor das hipóteses, indiferentes a Deus, o que é uma vitória para Satanás. Na verdade, essa indiferença encobre uma revolta interna que diz: "Não quero um Deus assim."

Acredite em mim quando afirmo: essa imagem de Deus está errada! Somos Seus filhos e O temos como Pai. Oséias descreve a atenção de Deus para com seu povo: "Quando Israel era um menino, eu o amei e do Egito chamei meu filho. Mas, quanto mais eu os chamava, tanto mais eles se afastavam de mim. Eles sacrificavam aos baals e queimavam incenso aos ídolos. Fui eu, contudo, quem ensinou Efraim a caminhar, eu os tomei em meus braços, mas não reconheceram que eu cuidava deles! Com vínculos humanos eu os atraía, com laços de amor eu era para eles como os que levantam uma criancinha contra o seu rosto, eu me inclinava para ele e o alimentava" (Os 11, 1-4).

Temos um Deus que se inclina para nós e nos toma nos braços. Deus é Pai! Jesus mesmo disse: "Quem de vós, sendo pai, se o filho lhe pedir um peixe, em vez do peixe lhe dará uma serpente? Ou ainda, se pedir um ovo, lhe dará um escorpião? Ora, se vós, que sois maus, sabeis dar coisas boas aos vossos filhos, quanto mais o Pai do Céu dará o Espírito Santo aos que Lho pedirem!" (Lc 11, 11-13). Ele nos deu Jesus, o Salvador; nos dá a unção do Espírito Santo. Creia: Deus nos olha o tempo todo como filhos.

Precisamos, pois, nos libertar urgentemente dessa imagem equivocada de Deus em nós. Nada disso é real, e o exercício da percepção do amor de Deus é fundamental no processo da nossa própria cura. O sofrimento cumpre o papel de nos educar e nos fazer amadurecer, mas Deus não deseja o sofrimento de ninguém. Ele se compadece de nós e não quer que vivamos no pecado ou que mendiguemos afeto. Não podemos culpar Deus por nossas infidelidades.

Nas palavras do Papa Francisco, que me permito citar extensivamente:

> O perdão *é o sinal mais visível do amor do Pai, que Jesus quis revelar em toda a sua vida. Não há página do Evangelho que possa ser subtraída a este imperativo do amor que chega até ao perdão. Até nos últimos momentos da sua existência terrena, ao ser pregado na cruz, Jesus tem palavras de perdão: "Perdoa-lhes, Pai, porque não sabem o que fazem" (Lc 23, 34).*
>
> *Nada que um pecador arrependido coloque diante da misericórdia de Deus pode ficar sem o abraço do seu perdão. É por este motivo que nenhum de nós pode pôr condições à misericórdia; esta permanece sempre um ato de gratuidade do Pai celeste, um amor incondicional e não merecido. Por isso, não podemos correr o risco de nos opor à plena liberdade do amor com que Deus entra na vida de cada pessoa.*
>
> *A misericórdia é esta ação concreta do amor que, perdoando, transforma e muda a vida. É assim que se manifesta o seu mistério divino. Deus é misericordioso (cf. Ex 34, 6), a sua misericórdia é eterna (cf. Sl 136/135), de geração em geração abraça cada pessoa que confia n'Ele e transforma-a, dando-lhe a sua própria vida. (...)*
>
> *A misericórdia possui também o rosto da consolação. "Consolai, consolai o meu povo" (Is 40, 1): são as palavras sinceras que o*

profeta faz ouvir ainda hoje, para que possa chegar uma palavra de esperança a quantos estão no sofrimento e na aflição. Nunca deixemos que nos roubem a esperança que provém da fé no Senhor ressuscitado. É verdade que muitas vezes somos sujeitos a dura prova, mas não deve jamais esmorecer a certeza de que o Senhor nos ama. A sua misericórdia expressa-se também na proximidade, no carinho e no apoio que muitos irmãos e irmãs podem oferecer quando sobrevêm os dias da tristeza e da aflição. Enxugar as lágrimas é uma ação concreta que rompe o círculo de solidão onde muitas vezes se fica encerrado.

Todos precisamos de consolação, porque ninguém está imune ao sofrimento, à tribulação e à incompreensão. Quanta dor pode causar uma palavra maldosa, fruto da inveja, do ciúme e da ira! Quanto sofrimento provoca a experiência da traição, da violência e do abandono! Quanta amargura perante a morte das pessoas queridas! E, todavia, Deus nunca está longe quando se vivem estes dramas. Uma palavra que anima, um abraço que te faz sentir compreendido, uma carícia que deixa perceber o amor, uma oração que permite ser mais forte... são todas expressões da proximidade de Deus através da consolação oferecida pelos irmãos (Carta apostólica *Misericordia et misera*, 20 de novembro de 2016, §2, 13).

Se seguíssemos verdadeiramente os valores do Reino que Jesus nos ensinou, jamais ousaríamos culpar a Deus por nossas provações. Antes, viveríamos a felicidade que Ele, em Sua infinita bondade, planejou para nós.

Para rezar

Salmo 12 (13)

Ant.: *Vós sois ó Senhor misericórdia. Meu coração, por Vosso auxílio, rejubile.*

Até quando, ó Senhor, me esquecereis?
Até quando escondereis a Vossa face?

Até quando estará triste a minha alma?
E o coração angustiado a cada dia?
Até quando o inimigo se erguerá?

Olhai, Senhor, meu Deus, e respondei-me!
Não deixeis que se me apague a luz dos olhos
e se fechem, pela morte, adormecidos!

Que o inimigo não me diga: "Eu triunfei!"
Nem exulte o opressor por minha queda
uma vez que confiei no Vosso amor!

Meu coração, por Vosso auxílio, rejubile,
e que eu Vos cante pelo bem que me fizestes!

Glória ao Pai, ao Filho e ao Espírito Santo.
Como era no princípio, agora e sempre. Amém.

Oração ao Senhor Jesus

(Composta pelo Pe. Gabriele Amorth)

Ó Jesus Salvador, meu Senhor e meu Deus,
meu Deus e meu tudo, que nos remiste com
o sacrifício da cruz e derrotaste o poder de Satanás,
peço-Te que me livres de toda presença maléfica
e de toda a influência do Maligno.
Peço-Te em Teu nome,
peço-Te pelas Tuas chagas,
peço-Te pelo Teu sangue,
peço-Te pela Tua cruz,
peço-Te pela intercessão de Maria, Virgem Imaculada e Mãe das Dores.

O sangue e a água que brotaram do Teu lado desçam sobre mim para me purificar, me libertar e me curar.

Amém.

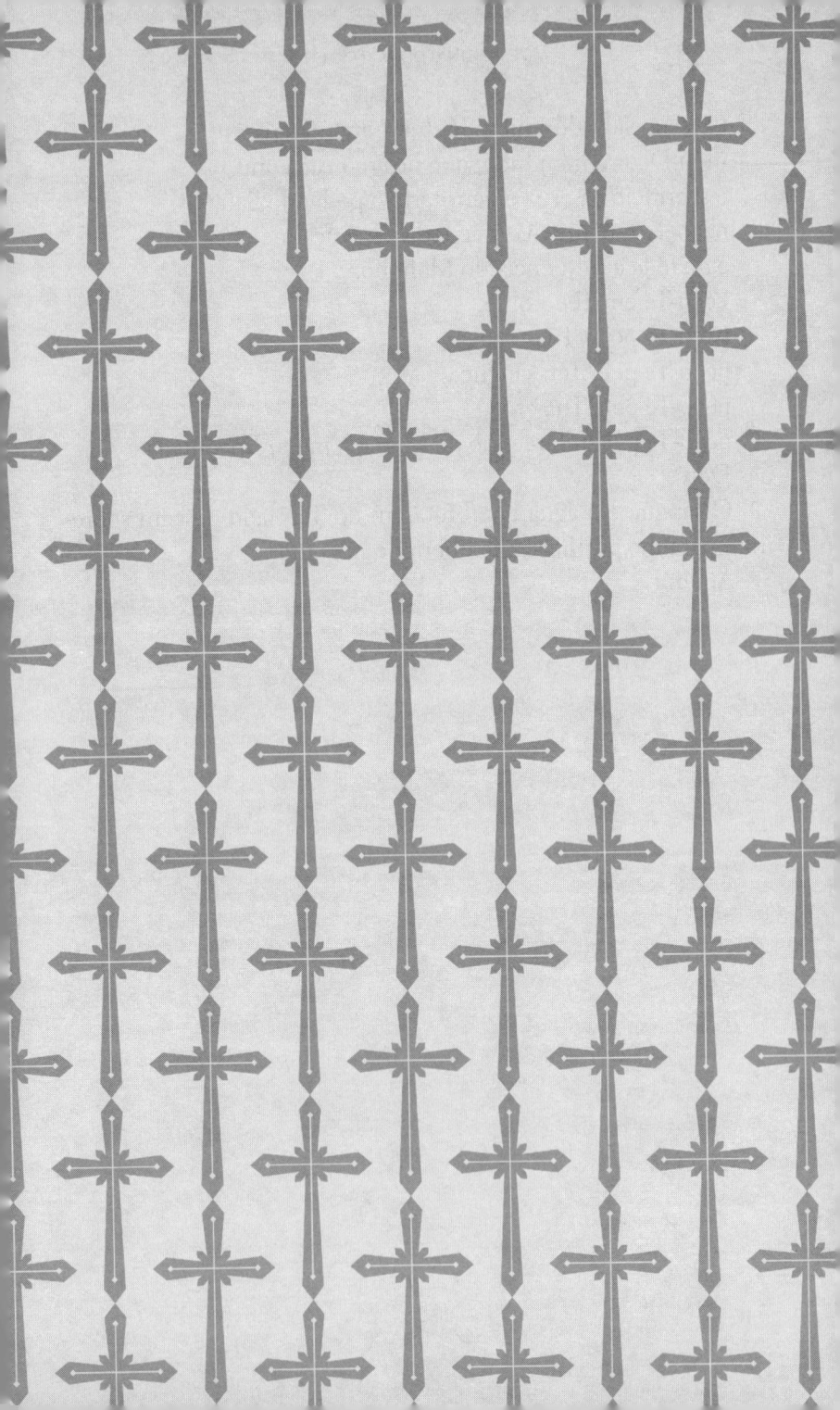

Capítulo 12

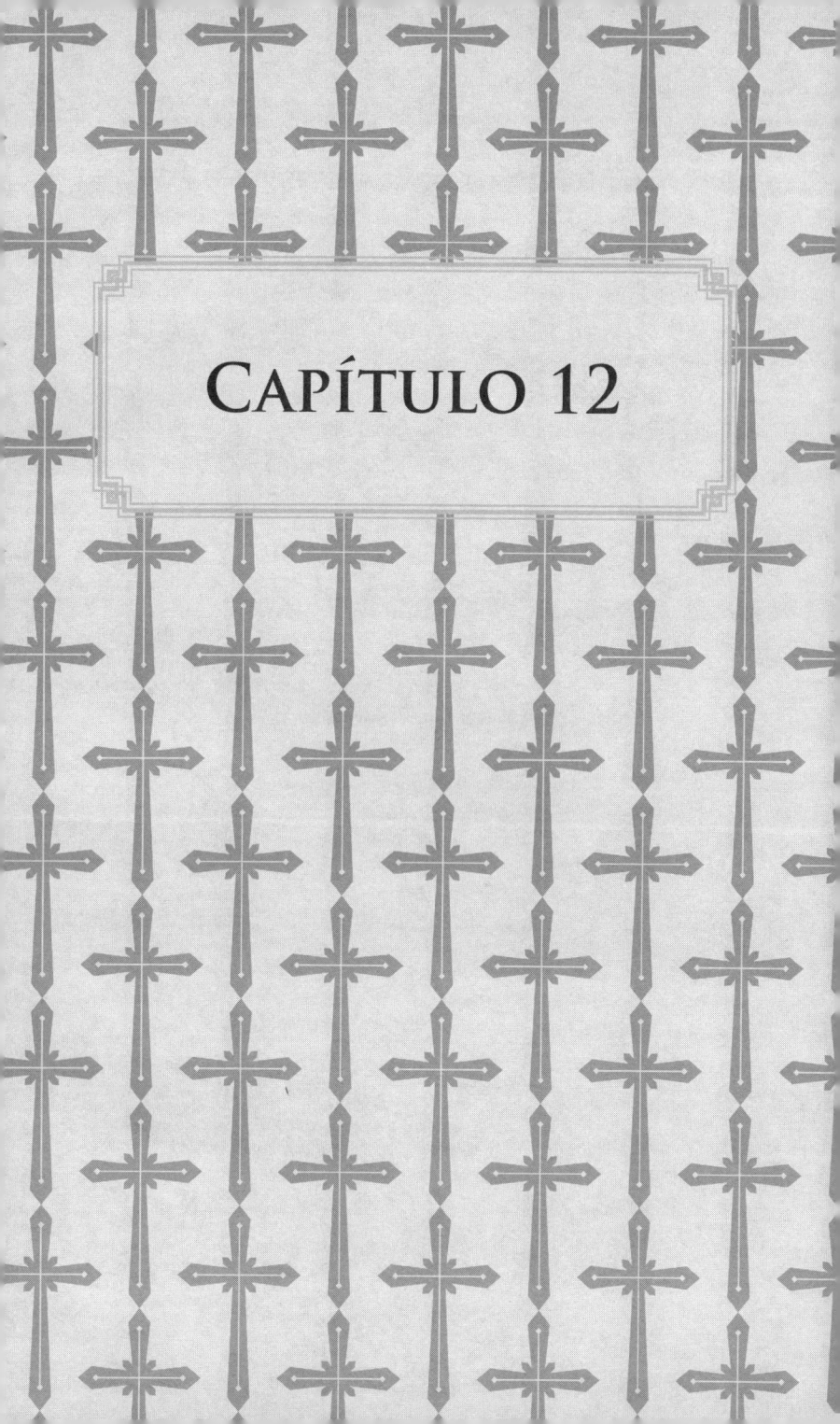

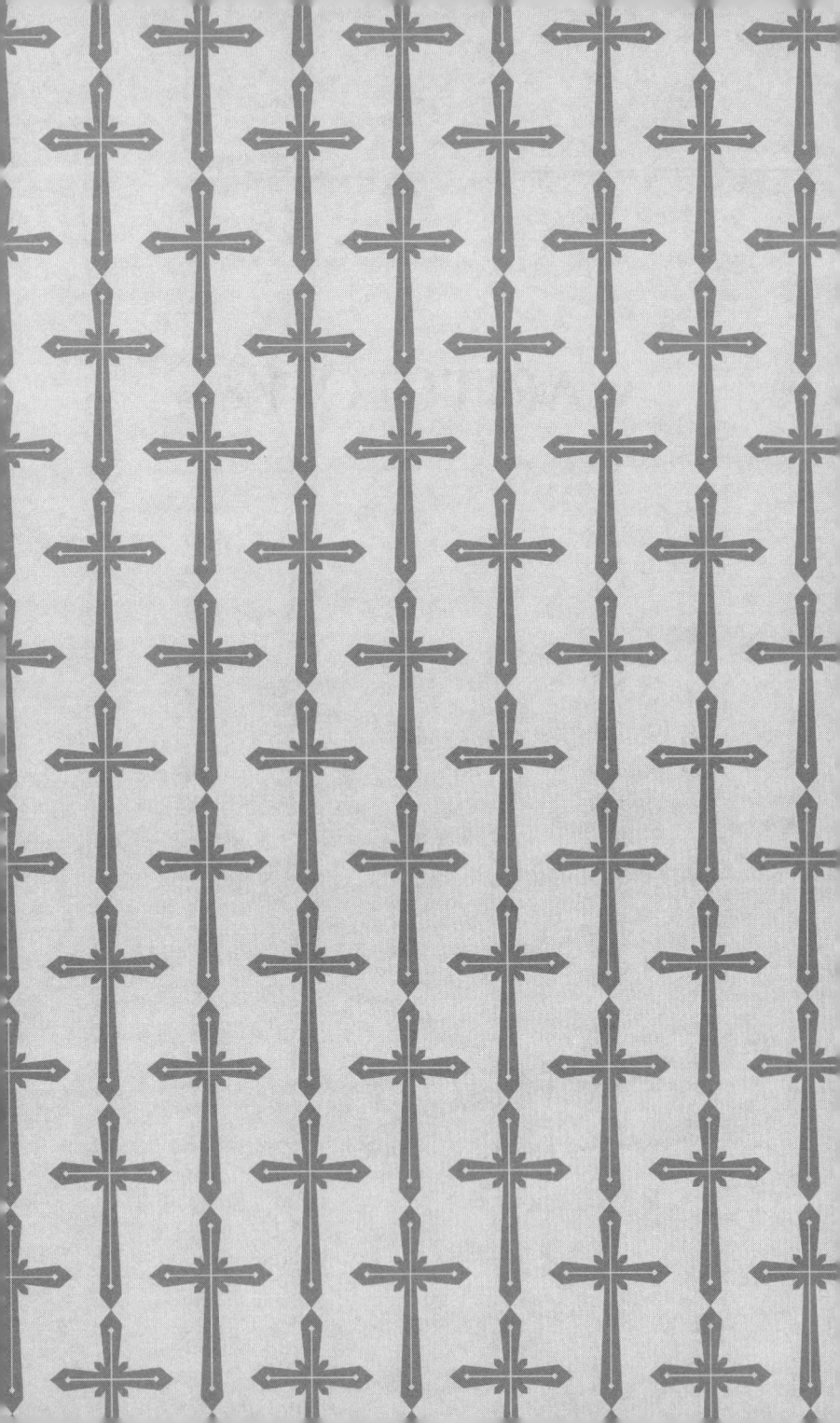

Vencendo o combate na nossa fé: para se libertar do ateísmo e da incredulidade

Nunca é demais reforçar que somente com a força do Senhor, por meio da fé em Deus, é possível permanecer firme nos momentos de crise. Não obstante, há pessoas que optam por viver a vida sem crença religiosa.

A expressão "ateísmo" vem do idioma grego e remete à "ausência de divindade". Objetivamente, ateu é aquele que não acredita na existência de Deus. E, como para ele Deus não existe, a moral divina não serve para nortear o caminho do certo e do errado, cabendo a si próprio, com base unicamente nos princípios e valores mundanos, a responsabilidade total pelo seu destino. Para o ateu, é fácil riscar Deus de sua vida e agir de acordo com o que for mais conveniente.

Diz o *Catecismo da Igreja Católica*: "O termo ateísmo abrange fenômenos muito diversos. Uma forma frequente é o materialismo prático, de quem limita suas necessidades e suas ambições ao espaço e ao tempo. O humanismo ateu considera falsamente que o homem é 'seu próprio fim e o único artífice e demiurgo de sua própria história'. Outra forma de ateísmo contemporâneo espera a libertação do homem pela via econômica e social, sendo que 'a religião, por sua própria natureza, impediria essa libertação, na medida em que, ao estimular a esperança do homem numa quimérica vida futura, o desviaria da construção da cidade terrestre'." (§ 2124).

O Concílio Vaticano II também tratou do assunto na Constituição Pastoral sobre a Igreja no mundo atual: "Com a palavra 'ateísmo', designam-se fenômenos muito diversos entre si. Com efeito, enquanto alguns negam expressamente Deus, outros pensam que o homem não pode afirmar seja o que for a seu respeito; outros, ainda, tratam o problema de Deus de tal maneira que ele parece não ter significado. Muitos, ultrapassando indevidamente os limites das ciências positivas, ou pretendem explicar todas as coisas só com os recursos da ciência, ou, pelo contrário, já não admitem nenhuma verdade absoluta. Alguns exaltam de tal modo o homem, que a fé em Deus perde toda a força, e parecem mais inclinados a afirmar o homem do que a negar Deus. Outros concebem Deus de uma tal maneira que aquilo que rejeitam não é de modo algum o Deus do Evangelho. Há outros que nem sequer abordam o problema de Deus: parecem alheios a qualquer inquietação religiosa e não percebem por que devem ainda se preocupar com a religião. Além disso, o ateísmo nasce muitas vezes de um protesto violento contra o mal que existe no mundo ou de se ter atribuído indevidamente o caráter de absoluto a certos valores humanos que passam a ocupar o lugar de Deus. A própria civilização atual, não por si mesma, mas pelo fato de estar muito ligada às realidades terrestres, com frequência torna mais difícil o acesso a Deus *(Gaudium et spes, 19, 2)*.

Entre as teorias que negam a existência de Deus, uma das mais difundidas é o evolucionismo, também chamado de darwinismo, enquanto transforma em ideologia fechada a legítima hipótese científica segundo a qual a adaptação progressiva das espécies ao meio onde vivem se daria pelo mecanismo de seleção natural. O materialismo filosófico, por sua vez, considera realidade apenas aquilo que é palpável e concreto, e por isso nega as verdades espirituais. Seus adeptos não acreditam que Deus existe por não conseguirem vê-Lo. O agnosticismo segue essa mesma lógica, uma vez que, para os agnósticos, a razão humana não é capaz de fornecer fundamentos coerentes e suficientemente maduros para justificar ou não justificar a crença em Deus.

Em síntese, enquanto o ateu nega a existência de Deus, o agnóstico não a nega, mas também não afirma Sua existência. Nessa linha, há ainda a conduta denominada de apateísmo ou indiferentismo, que se caracteriza pelo desinteresse pela questão religiosa.

Por outro lado, São Tomás de Aquino, provavelmente o maior teólogo da história, nos ilumina com seus conhecimentos e oferece a prova da existência de Deus por intermédio das chamadas "cinco vias", todas as quais nos levam ao encontro de uma fonte transcendente, ou seja, Deus: o movimento das coisas no mundo, que não seria possível sem a ação de um "primeiro motor"; a cadeia de acontecimentos, resultado obrigatório de uma "causa primeira"; a contingência em si, a qual, inevitavelmente, é precedida por um "fato necessário"; os graus variáveis de perfeição, relacionados a um "grau máximo" do qual os outros graus estão mais ou menos próximos; a finalidade implícita naquilo que ocorre ou não, sugerindo a existência de um "governo" por trás de tudo (*Suma teológica* I, q. 2, a.3). O Doutor Angélico ressalta, ainda, que o intelecto criado não pode ver a Deus, por essência, a menos que Este assim o permita (cf. *Suma teológica* I, q. 12, a. 4).

Satanás vibra com a nossa incredulidade

Nenhum ser humano torna-se ateu ou incrédulo principalmente por causa de argumentos bem fundamentados, mas sobretudo pelas inclinações ao pecado existentes em seu coração e instigadas pelo Inimigo com alto poder sedutor. Afinal, a princípio, parece mais fácil viver sem preceitos, fazendo a nossa própria lei. Mas não nos iludamos: estamos no meio de um combate em que as forças do mal buscam nos atingir e implantar a dúvida, a desconfiança, a falta de comprometimento e a descrença.

Já mencionei em outro capítulo que a existência do mal aparentemente sem sentido, como as enfermidades e o sofrimento de crianças inocentes, é uma das armadilhas da qual o Inimigo se vale para insuflar a revolta e a descrença, quando na verdade esse mal muitas vezes é causado pelo próprio homem, que deixa de utilizar com sabedoria seu livre-arbítrio. Ainda segundo São Tomás de Aquino, não existe mal maior para a natureza humana do que se privar, voluntária e conscientemente, da companhia de Deus. Este é o mal propriamente moral que se dá no contexto da liberdade e da responsabilidade humanas, como consequência de ações assentadas nos juízos da razão e na anuência da vontade. Santo Agostinho, por sua vez, nos ensina: "Deus, sumamente bom, de nenhum modo permitiria existir algum mal nas suas obras se não fosse onipotente e bom para, mesmo do mal, tirar o bem." E São Tomás de Aquino completa: "Logo, pertence à infinita bondade de Deus permitir o mal para deste fazer jorrar o bem" (*Suma teológica* I, q. 2, a. 3).

É interessante notar que a Sagrada Escritura não se preocupa tanto em defender ou explicar a existência de Deus. Como se diz popularmente, ela já "entra de sola", sem nenhum rodeio e assegurando com certeza: "No princípio, Deus criou o Céu e a Terra" (Gn 1, 1).

Simples assim. Independentemente de todas as teorias e da busca pelo entendimento — se houve, por exemplo, uma explosão cósmica e se descendemos dos primatas —, o fato é que para tudo existir é necessária a ação de uma fonte inteligente, um Criador — Deus —, conforme atesta São Paulo: "De fato, desde a criação do mundo, as perfeições invisíveis de Deus, tais como o seu poder eterno e sua divindade, podem ser contempladas pela inteligência nas obras que Ele realizou" (Rm 1, 20).

Não faz sentido imaginar que, do nada, de uma combinação aleatória de átomos e moléculas (que teriam sido criados por quem?) formou-se a primeira célula, que por sua vez prosseguiu se reproduzindo com tamanha perfeição a ponto de gerar a vida na Terra. Foi o próprio Isaac Newton, gênio da física e da matemática, quem disse: "A maravilhosa disposição e harmonia do universo só pode ter tido origem segundo o plano de um Ser que tudo sabe e tudo pode. Isso fica sendo a minha última e mais elevada descoberta."

O Papa Francisco, por sua vez, ressalta: "Como é maravilhosa a certeza de que a vida de cada pessoa não se perde num caos desesperador, num mundo regido pelo puro acaso ou por ciclos que se repetem sem sentido! O Criador pode dizer a cada um de nós: 'Antes de formar-te no seio de tua mãe, eu já te conhecia' (Jr 1, 5), fomos concebidos no coração de Deus e, por isso, 'cada um de nós é o fruto de um pensamento de Deus, cada um de nós é querido, cada um de nós é amado, cada um é necessário'." (Carta encíclica *Laudato Si'*, 65).

É da natureza humana crer em algo superior, e por isso a ausência de Deus faz nossa alma sofrer. Precisamos de Deus não porque alguém mandou ou porque temos medo. Deus está em nosso DNA, e ao rejeitá-Lo estamos rejeitando a nós mesmos. A alma é, como o corpo, parte integrante do nosso ser. Quando privamos nosso corpo de sua alma, o vazio cresce, ficamos insatisfeitos e perdemos a direção. Quem vibra com isso? Ele mesmo: o Inimigo. Tudo o que ele quer é nos afastar de Deus, de quem nossa alma está sedenta.

A incredulidade, isto é, a recusa deliberada a crer em Deus, atende diretamente aos propósitos do Maligno, que é, como alerta São Paulo, seu principal artífice: "Por conseguinte, se o nosso evangelho permanece velado, está velado para aqueles que se perdem, para os incrédulos, dos quais o Deus deste mundo obscureceu a inteligência, a fim de que não vejam brilhar a luz do evangelho da glória de Cristo, que é a imagem de Deus" (2 Cor 4, 3-4).

Mesmo uma pessoa de fé pode cair na tentação da incredulidade. É quando ela, conhecendo a Deus por meio da Palavra, da doutrina, do magistério da Igreja e dos inúmeros sinais de Seu amor e de Sua misericórdia, mesmo assim coloca em dúvida e se recusa a confiar n'Ele. O *Catecismo da Igreja Católica* assim define essa conduta: "A incredulidade é a negligência da verdade revelada ou a recusa voluntária de lhe dar o próprio assentimento. 'Chama-se heresia a negação pertinaz, após a recepção do Batismo, de qualquer verdade que se deve crer com fé divina e católica, ou a dúvida pertinaz a respeito dessa verdade; apostasia, o repúdio total da fé cristã; cisma, a recusa de sujeição ao Sumo Pontífice ou da comunhão com os membros da Igreja a ele sujeitos.'" (2089).

A incredulidade é a mãe de todos os outros pecados, e a ela pode ser creditada, em grande parte, a culpa pela queda de nossos primeiros pais. A serpente (o Diabo) lançou a semente da desconfiança no coração de Eva e levou-a a desconfiar das intenções do Criador, dando a entender que Ele não queria o seu bem ao fazer-lhes uma restrição: "Mas Deus sabe que, no dia em que dele [o fruto] comerdes, vossos olhos se abrirão e vós sereis como deuses, versados no bem e no mal" (Gn 3, 5). Isso bastou para que o orgulho florescesse e, assim, tudo o que eles sabiam de Deus se esvaísse, instalando-se a desconfiança. Como consequência, veio a desobediência que os levou à infelicidade e culminou na expulsão de Adão e Eva do Paraíso.

Entre as passagens sobre incredulidade no Antigo Testamento, destaca-se aquela segundo a qual Moisés avistou de longe a

Terra Prometida, mas não pôde adentrá-la porque não acreditou em Deus. Ao ser orientado pelo Senhor a ordenar à rocha que jorrasse água, ele e seu irmão mais velho, Aarão, reuniram a comunidade e bateram duas vezes na pedra. Então, Deus disse: "Já que não acreditastes em mim e não reconhecestes a minha santidade na presença dos filhos de Israel, não fareis esta comunidade entrar na terra que eu vou dar-lhes" (Nm 20, 8-12).

Já o Novo Testamento contém duas passagens muito conhecidas sobre o assunto. A primeira diz respeito a Zacarias, pai de João Batista, o Precursor. Ao contrário de tomar posse da graça que tanto tinha pedido ao Senhor, ele se manteve incrédulo diante do anúncio do anjo sobre o nascimento de seu filho, pedindo antes um sinal. Como consequência, ficou mudo até o nascimento da criança (cf. Lc 1, 1-23).

Outra passagem, e também a mais famosa, foi protagonizada por Tomé, um dos doze apóstolos de Jesus. Aconteceu que Tomé estava ausente quando, no primeiro dia da semana após a Ressurreição, Jesus apareceu aos discípulos para desejar a paz e soprar sobre eles o Espírito Santo, dando-lhes o poder de perdoar os pecados. Então, quando os discípulos contaram o que tinha ocorrido, Tomé não acreditou.

Oito dias depois, Jesus apareceu novamente e, ciente da incredulidade de Tomé, mostrou Suas chagas e ordenou que ele as tocasse, dizendo: "Não sejas incrédulo, mas tem fé." E Tomé acabou sendo o primeiro entre os apóstolos a chamar Jesus de Deus, professando: "Meu Senhor e meu Deus!"

Ao meditar sobre esse fato, o Papa São Gregório Magno declarou: "A incredulidade de Tomé não foi um acaso, mas prevista nos planos de Deus. O discípulo que, duvidando da Ressurreição do Mestre, pôs as mãos em suas chagas curou com isso a ferida da nossa incredulidade."

Para vencer o combate é preciso ter fé

Na vida, todos nós somos "um pouco Tomé" e, muitas vezes, precisamos de evidências para crer. Como já expliquei em outras ocasiões, vivemos reféns dos cinco sentidos, ou seja, precisamos ver, ouvir, cheirar, provar e sentir para ter certeza de que algo é real. No entanto, não podemos esquecer que nossos sentidos nos foram dados por Deus, então Sua presença também se manifesta por meio deles. Por isso, temos de prestar atenção aos sinais...

Quando estávamos prestes a completar dez anos da fundação da obra "Evangelizar", o Senhor suscitou em meu coração o ardente desejo de termos uma devoção para abraçar e seguir. Começamos, assim, a trocar ideias nesse sentido e a rezar intensamente. Foi então que, durante as 24 Horas de Oração, evento que fazemos todos os anos, ao pousar minha vista sobre o quadro de Jesus Misericordioso, Suas Chagas saltaram-me aos olhos. E, desde esse episódio, temos nos dedicado a propagar a devoção às Santas Chagas de Jesus.

Por que estou contando isso?

Porque o mesmo Jesus que curou a incredulidade de Tomé continua a nos oferecer amorosamente Seus sinais para nos curar e nos libertar desse mal.

No Brasil, poucas pessoas sabem, mas há uma tradição passada de geração em geração sobre Tomé e a mãe de Jesus, Maria, que reforça o quanto ela se preocupa e consola seus filhos. Tomé já tinha se tornado um dos apóstolos mais destemidos, levando o Evangelho até os confins do Oriente, quando recebeu um recado de Pedro para que retornasse sem demora a Jerusalém, pois Maria, a Mãe do Senhor, iria deixá-los e desejava se despedir de todos. Empreendeu Tomé a sua volta, mas chegou atrasado e a Virgem Maria já havia subido aos Céus. Então, mais uma vez levado pelo ceticismo, Tomé relutou em acreditar na Assunção da

Santíssima Virgem e pediu a Pedro que abrisse o sepulcro para comprovar com seus próprios olhos o ocorrido.

Atendido o seu pedido, ele constatou que no túmulo vazio encontravam-se apenas lírios e rosas. E, nesse mesmo momento, ao levantar os olhos em direção ao céu, Tomé avistou Nossa Senhora, que, sorridente, desatou o cinto e lançou-o em suas mãos, como símbolo de bênção e proteção. Esse cinto é a relíquia que se venera na catedral de Prato, cidade da região da Toscana, na Itália, onde um fato extraordinário ocorrido posteriormente também desferiu um golpe certeiro sobre a incredulidade.

No dia de Santo Estêvão, o padroeiro da cidade, era costume dispor todas as relíquias sobre o altar, incluindo a caixa contendo o cinto de Nossa Senhora, para abençoar enfermos e vítimas de possessão demoníaca. Uma das possessas tocou a relíquia e começou a afirmar com insistência que aquele cinto pertencia à Santíssima Virgem, tendo sido imediatamente libertada do mal que a dominava. Iniciou-se, assim, o culto público à sagrada relíquia. Em 1212, o próprio São Francisco de Assis esteve com seus primeiros frades em Prato para venerá-la. Atualmente, a veneração pública ocorre cinco vezes ao ano, quando a relíquia é colocada no púlpito externo, à direita da catedral, em frente à praça da cidade medieval, um dos lugares de peregrinação mariana mais frequentados da Itália.

A esta altura, já deu para perceber que incredulidade e fé são duas forças absolutamente antagônicas, cabendo a nós converter a segunda delas em uma potente arma na luta que estamos travando: "Esta é a vitória que venceu o mundo: a nossa fé" (1 Jo 5, 4).

Ninguém pode, ao mesmo tempo, ser incrédulo e combater com êxito, pois precisamos da fé para que toda a nossa força passe da potência para o ato. Essa é exatamente a razão pela qual Satanás quer nos desviar de Deus. Seu desejo é nos enfraquecer e nos aprisionar. "Com efeito, a Escritura diz: quem n'Ele crê não será confundido" (Rm 10, 11).

O autor da Carta aos Hebreus dá assim sua definição: "A fé é o fundamento da esperança, é uma certeza a respeito do que não se vê. Foi ela que fez a glória dos nossos antepassados. Pela fé reconhecemos que o mundo foi formado pela palavra de Deus e que as coisas visíveis se originaram do invisível." E ainda: "Sem fé é impossível agradar a Deus, pois para se achegar a Ele é necessário que se creia primeiro que Ele existe e que recompensa os que O procuram" (Hb 11, 1-3.6).

É a fé que nos leva a buscar e a conhecer Deus, pois é preciso conhecer para crer. Precisamos nos informar e nos formar para crermos e esperarmos em Deus. Contudo, não devemos confundir fé com certeza matemática.

Por exemplo, não precisamos crer que a soma de um com um resulta em dois; trata-se de algo que compreendemos, logo é uma certeza. Já a crença é diferente no que tange à compreensão. Isso porque podemos crer naquilo que compreendemos, mas também no incompreensível. Não compreendemos a dinâmica da Santíssima Trindade nem o mistério da Ressurreição de Jesus, mas cremos neles. Portanto, a fé vai além da compreensão. Na fé também existe certeza, mas aquela que é baseada na palavra de Deus, o qual não se engana e não pode se enganar — certeza que, sendo sobrenatural, é maior ainda que a de dois e dois são quatro, que é puramente natural, como mostra São Tomás de Aquino (cf. *Suma teológica* I, q. 1, a. 5, c).

A fé não é um simples conjunto de ideias e códigos morais, mas um encontro com a pessoa viva de Jesus. É um esforço de intimidade. A partir dessa experiência com o Ressuscitado, a fé nos compromete a realizar, a cada momento, o que Deus espera de nós.

Nunca teremos uma imagem do próprio Deus Pai; não nos iludamos quanto a isso. Nós temos que amá-Lo em Jesus. É possível ter intimidade com Deus quando a temos com Jesus. Amar à distância é difícil, porque envolve uma frustração tremenda. A relação acaba ruindo na medida em que deixamos de desejar, e o desejo faz parte do amor. Temos que desejar estar com Jesus. A fé nos leva ao conhecimento de Jesus para que O amemos e nos deixemos amar por Ele.

Quando nos tornamos íntimos de Jesus, descobrimos tanta beleza que nos apaixonamos por Ele. Contudo, apenas uma Missa aos domingos é pouco para quem ama, assim como uma confissão ao ano não produz intimidade suficiente.

Os apóstolos foram até Jesus e perguntaram: "Mestre, onde moras?" Sua resposta foi: "Vinde e vede." Então, eles foram, viram e ficaram com Ele (cf. Jo 1, 38-39). Ficar com Jesus: eis o encontro de conversão, de renovação, um encontro que passa pelo fogo do Espírito Santo e incendeia a alma.

Quer vencer o combate contra a incredulidade?

Leia a Palavra de Deus, medite sobre ela e rejeite os pensamentos contrários e mentirosos que o Inimigo sopra. Reze pedindo sempre que Deus aumente sua fé, pois ela é um raio de luz que o Pai infunde em nossa alma para que não andemos nas sombras e tampouco sejamos alvos fáceis para o Inimigo. Em Sua infinita bondade, Ele quis garantir que o ser humano, após o Pecado Original, não cometesse o erro de não encontrá-Lo, e por isso nos abençoou com essa poderosa virtude que é a nossa fé.

Para rezar

SALMO 89 (90)

Ant.: Senhor, Vós sois meu Deus, sois minha força e salvação.

Vós fostes um refúgio para nós,
ó Senhor, de geração em geração.

Já bem antes que as montanhas fossem feitas
ou a terra e o mundo se formassem,
desde sempre e para sempre Vós sois Deus.

Vós fazeis voltar ao pó todo mortal,
quando dizeis: "Voltai ao pó, filhos de Adão!"
Pois mil anos para Vós são como ontem,
qual vigília de uma noite que passou.

Eles passam como o sono da manhã,
são iguais à erva verde pelos campos:
de manhã ela floresce vicejante,
mas à tarde é cortada e logo seca.

Por Vossa ira perecemos realmente,
Vosso furor nos apavora e faz tremer;
pusestes nossa culpa à nossa frente,
nossos segredos ao clarão de Vossa face.

Em Vossa ira se consomem nossos dias,
como um sopro se acabam nossos anos.
Pode durar setenta anos nossa vida,
os mais fortes talvez cheguem a oitenta;
a maior parte é ilusão e sofrimento:
passam depressa e também nós assim passamos.

Quem avalia o poder de Vossa ira,
o respeito e o temor que mereceis?
Ensinai-nos a contar os nossos dias,
e dai ao nosso coração sabedoria!

Senhor, voltai-vos! Até quando tardareis?
Tende piedade e compaixão de vossos servos!
Saciai-nos de manhã com Vosso amor,
e exultaremos de alegria todo o dia!

Alegrai-nos pelos dias que sofremos,
pelos anos que passamos na desgraça!
Manifestai a Vossa obra a Vossos servos,
e a seus olhos revelai a Vossa glória!

Que a bondade do Senhor e nosso Deus
repouse sobre nós e nos conduza!
Tornai fecundo, ó Senhor, nosso trabalho,
fazei dar frutos o labor de nossas mãos!

Glória ao Pai, ao Filho e ao Espírito Santo.
Como era no princípio, agora e sempre.
Amém.

Oração a São Tomé

Senhor, peço-Vos perdão por todas as vezes que fui incrédulo e não permiti que Vossa mão poderosa conduzisse minha vida. Agora, meu Jesus, pelo exemplo de São Tomé, coloco-me aos Vossos pés e clamo com todo o meu amor e devoção: "Meu Senhor e meu Deus!"
São Tomé, rogai por mim, agora e sempre.
Amém.

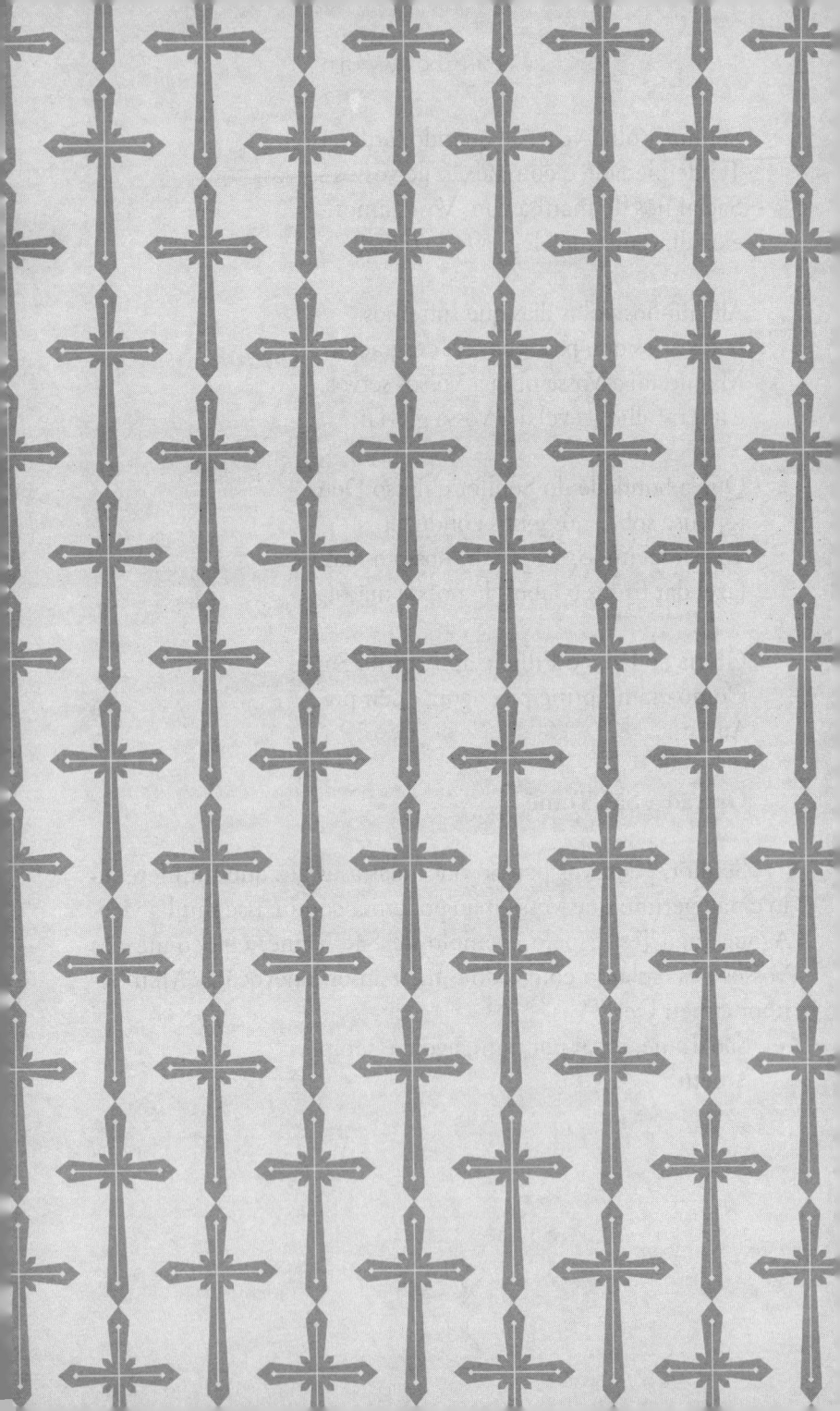

Capítulo 13

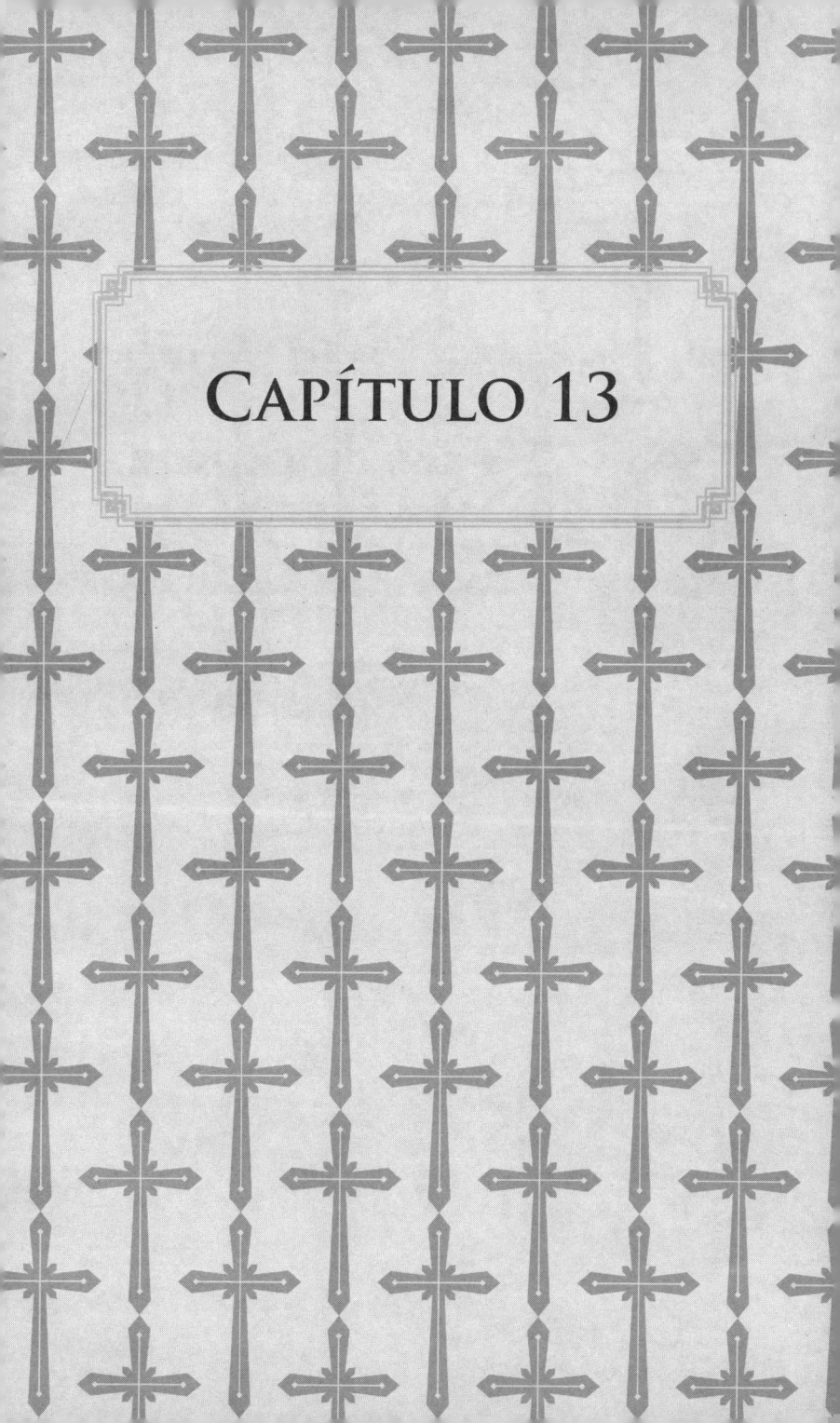

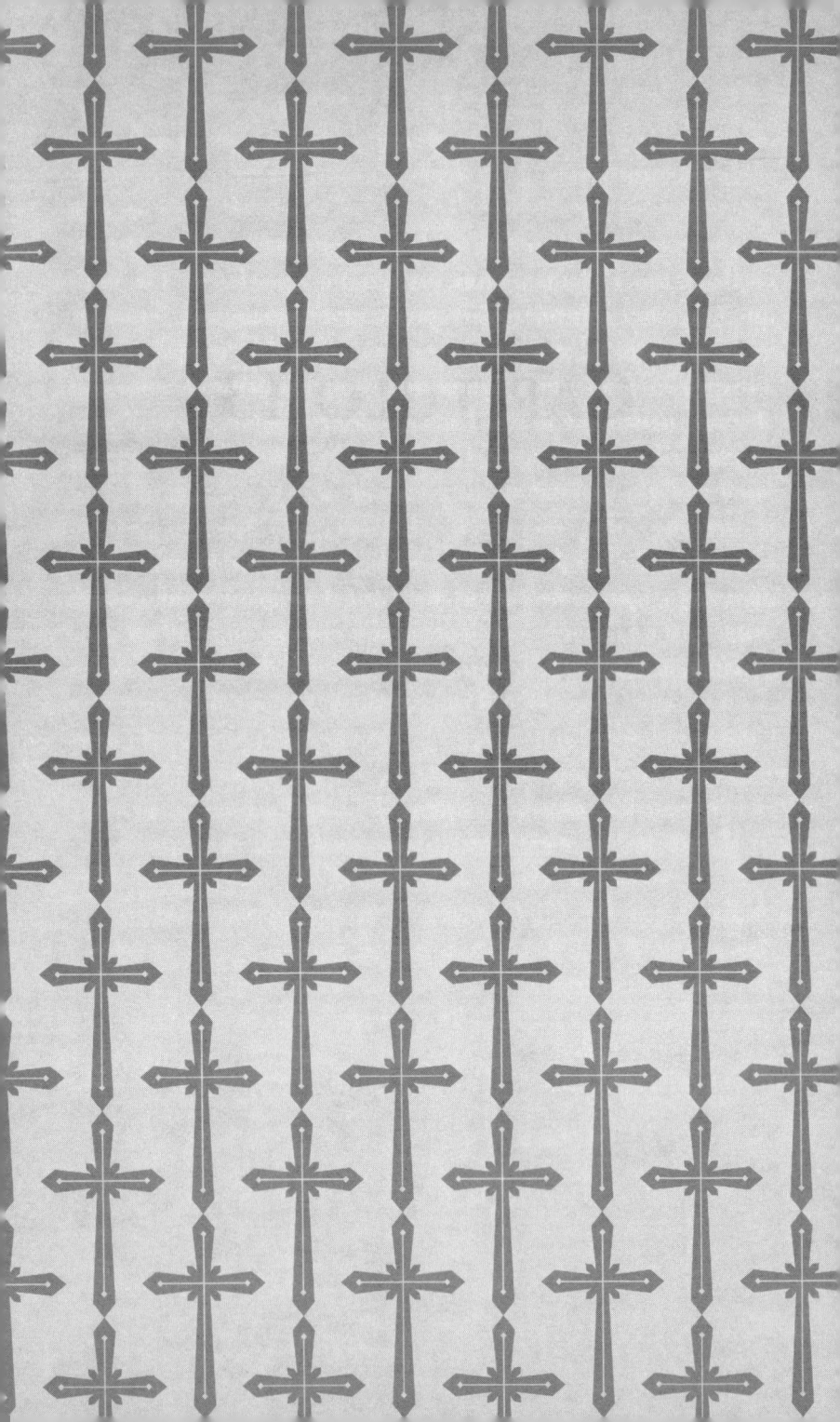

Vencendo o combate na nossa fé: para se libertar das falsas profecias

A princípio, este capítulo não estava programado. Eu e a editora já havíamos fechado os assuntos a serem tratados, mas, inesperadamente, ocorreu algo que chamou a minha atenção e despertou em mim o desejo de acrescentá-lo. Afinal, se estamos tratando de combate espiritual no dia a dia, é necessário nos capacitarmos em todos os sentidos.

Quem acompanha o programa *Experiência de Deus*, que de segunda a sábado apresento no rádio, sabe que dedico um momento dele para a leitura orante da Palavra de Deus. Recentemente, dando sequência à programação, fiz a chamada para que os ouvintes procurassem na Bíblia o texto do dia — Primeira Carta de São Paulo aos Tessalonicenses, capítulo 5, versículos 19 a 22 — enquanto eu atendia alguém que estava aguardando na linha para fazer sua partilha.

Tratava-se de uma filha de Deus, de 38 anos, que relatou sofrer de ansiedade. Por isso, costumava recorrer a um profissional da área de saúde, seguidor da doutrina espírita, que durante a consulta realizava um tipo de relaxamento com o objetivo de acalmá-la. Até aí, tudo bem. A certa altura, ela confidenciou que mantinha um relacionamento e desejava muito formar uma família, mas que em uma das consultas feitas tomara conhecimento — e este foi o motivo de seu telefonema — de uma profecia (revelação) que a tinha amedrontado. Ela chegara até mesmo a pensar em desistir do seu sonho de casar e ter filhos, pois fora advertida sobre a ocorrência futura de um sofrimento muito grande em sua vida, que poderia ser o nascimento de uma criança com problemas de saúde ou o abandono por parte do marido. No caso do filho especial, segundo a profecia, este serviria para a ouvinte "evoluir espiritualmente".

Muito abalada, a mulher mal conseguiu assimilar os conselhos que eu tentava lhe dar, repetindo várias vezes a mesma pergunta: "Padre, eu não vou ter um filho com problemas, não é?" Tentei tranquilizá-la, advertindo-a a não dar ouvidos à "profecia" feita, e recomendei que continuasse o tratamento com outro profissional e também procurasse um grupo de oração, a fim de que pudesse preencher seu vazio interior.

Encerrado o telefonema, voltei-me novamente para a leitura orante e, ao percorrer com os olhos o trecho referente à leitura do dia, percebi a Providência Divina! Sim, porque para Deus não existe coincidência, e sim providência. O texto dizia: "Não extingais o Espírito; não desprezeis as profecias. Discerni tudo e ficai com o que é bom. Guardai-vos de toda espécie de mal."

Ora, eu tinha acabado de aconselhar uma ouvinte atormentada a não dar ouvidos a uma profecia, quando a Palavra de Deus aparentemente orientava a procedermos de forma contrária: "não desprezeis as profecias." Então teria eu caído em contradição? Fiz questão de mencionar que, se isso ocorreu, eu admitiria meu engano.

Vejamos alguns estudos que empreendi para avançar nessa minha análise. São Paulo nos ensina: "Há diversidade de dons, mas o Espírito é o mesmo; diversidade de ministérios, mas o Senhor é o mesmo; diversos modos de ação, mas é o mesmo Deus que realiza tudo em todos. Cada um recebe o dom de manifestar o Espírito para a utilidade de todos. A um Espírito dá a mensagem de sabedoria; a outro, a palavra de ciência segundo o mesmo Espírito; a outro, o mesmo Espírito dá a fé; a outro, ainda, o único e mesmo Espírito concede o dom das curas; a outro, o poder de fazer milagres; a outro, a profecia; a outro, o discernimento dos espíritos; a outro, o dom de falar em línguas; a outro, ainda, o dom de as interpretar. Mas é o único e mesmo Espírito que isso tudo realiza, distribuindo a cada um os seus dons, conforme lhe apraz" (1 Cor 12, 4-11). Mais especificamente sobre o dom espiritual da profecia, o apóstolo enfatiza sua importância ao afirmar: "Procurai a caridade. Entretanto, aspirai aos dons do Espírito, principalmente à profecia" (1 Cor 14, 1).

De fato, a profecia está entre os dons especiais também chamados de "carismas", segundo a palavra grega empregada por São Paulo, cujo significado é favor, dom gratuito, benefício. Seja qual for seu caráter, os carismas se prestam à graça santificante e têm como meta o bem comum da Igreja. Acham-se a serviço da caridade, que edifica a Igreja (cf. *Catecismo da Igreja Católica*, 2003). A mesma Igreja reitera: "Sejam extraordinários, sejam simples e humildes, os carismas são graças do Espírito Santo que, direta ou indiretamente, têm uma utilidade eclesial, ordenados que são à edificação da Igreja, ao bem dos homens e às necessidades do mundo" (*Catecismo da Igreja Católica*, 799).

Portanto, a profecia é um dos dons que servem à manifestação do Espírito Santo, tendo-o como fonte única de inspiração imediata e direta, e não à mente humana. Portanto, não se trata de prever ou dirigir o futuro de alguém. São Pedro ressalta essa diferença, ao afirmar: "Nenhuma profecia da Escritura resulta de uma interpretação particular, pois que a profecia jamais veio por vontade humana, mas homens, impelidos pelo Espírito Santo, falaram da parte de Deus" (2 Pd 1, 20-21).

Na profecia, há a combinação de três funções complementares em uma só mensagem, conforme destacou São Paulo: "Aquele que profetiza fala aos homens: edifica, exorta, consola" (1 Cor 14, 3). Isso sugere que a profecia colabora para o crescimento espiritual, incentivando as pessoas a alcançarem a profundidade do tema profético. Traz em si um componente que busca suavizar e acalmar, expressado de forma persuasiva e terna.

Mas como é possível identificar se uma profecia é verdadeira em meio a tantas mensagens recebidas?

Há três possíveis fontes que podem inspirar uma profecia: o Espírito Santo, o espírito humano, os espíritos malignos e enganadores. Por isso, devemos aprender a discernir os espíritos, conforme nos recomenda São João: "Caríssimos, não acrediteis em qualquer espírito, mas examinai os espíritos para ver se são de Deus, pois muitos falsos profetas vieram ao mundo" (1 Jo 4, 1).

A Renovação Carismática Católica do Brasil também nos ajuda a desenvolver o discernimento quanto às profecias por meio deste trecho de um artigo seu: "Nos grupos de oração da Renovação Carismática Católica, há muitas intervenções que são inspiradas pelo Espírito Santo: algumas vezes, algumas pessoas se sentem movidas pelo Espírito a partilhar uma experiência, a dizer uma oração ou a ler um texto claramente guiado por Deus; outras vezes, uma ideia, uma visualização ou uma moção recebida é comunicada aos outros. Quando falamos de 'profecia', estamos nos referindo a comunicações do Senhor. Estas podem ser expressas de forma simples e direta. Por exemplo: 'Eu estou com vocês, não temam.' E ainda por meio de uma mensagem em línguas e de sua interpretação, uma canção profética ou uma visualização recebida. Quando uma profecia é recebida, há dois aspectos envolvidos: um é aquele de sentir-se movido por Deus a falar, e o outro é uma iluminação da mente para expressar a mensagem. Esses aspectos podem ser consecutivos ou simultâneos. Sentir-se movido por Deus a falar pode manifestar-se em sinais físicos, como o aumento dos batimentos cardíacos, um peso que persiste ou um impulso sereno em dizer alguma coisa. Em qualquer caso, devemos sempre considerar que nenhum impulso divino é incontrolável ou deixa a pessoa perturbada: o espírito profético deve estar sob o controle do 'profeta' (cf. 1 Cor 14, 32). Por sua vez, a iluminação da mente ocorre por meio de ideias, palavras, frases que surgem, visualizações ou inspirações repentinas. Algumas vezes, a pessoa recebe uma mensagem completa, mas é bastante comum que a pessoa receba a mensagem como ele/ela a expressam. O conteúdo da profecia é uma mensagem de Deus para aquele momento, e seu propósito é edificar a comunidade, confortar — dando-lhe paz e alegria —, encorajar, fortalecer, corrigir ou exortar. Embora a profecia seja uma mensagem de Deus, esta é dada por uma pessoa que fala quando movida pelo Espírito. Pela mesma razão, faz-se necessário discernimento para saber se é genuína. Quanto mais uma pessoa estiver entregue a Deus, mais pura e transparente será a mensagem. Este é o motivo pelo qual a profecia deve ser discernida pela comunidade: 'Quanto aos profetas, falem dois ou três, e os outros julguem.'" (1 Cor 14, 29).

Para completar, elenco aqui sete diretrizes práticas para discernir uma profecia:

1. Deve edificar e confortar. Se uma profecia é negativa e condenatória, isto é um sinal claro de que a mesma não vem de Deus.

2. Deve produzir bons frutos. "Toda árvore que não der bons frutos será cortada e lançada ao fogo. Pelos seus frutos, os conhecereis" (Mt 7, 19-20).

3. Deve estar fundamentada nas Escrituras. Jesus diz: "As palavras que vos tenho dito são espírito e vida" (Jo 6, 63).

4. Deve estar de acordo com os ensinamentos do magistério da Igreja Católica. O magistério é a autoridade orientadora da Igreja.

5. Deve produzir paz. São Paulo diz: "Porquanto Deus não é Deus de confusão, mas de paz" (1 Cor 14, 33).

6. Deve ser utilizada para a glória e a honra de Deus. São Paulo declara: "Portanto, quer comais, quer bebais ou façais qualquer outra coisa, fazei tudo para a glória de Deus" (1 Cor 10, 31).

7. Deve fortalecer a fé tanto daquele que proclama a profecia, como daqueles que a ouvem. "Logo, a fé provém da pregação, e a pregação se exerce em razão da palavra de Cristo" (Rm 10, 17).

Voltando à nossa ouvinte, basta a primeira diretriz aqui exposta para fazer cair por terra a veracidade da profecia que ela recebera. Não a edificara, muito menos a confortara. Sendo mais preciso, a falsa profecia produzira o efeito contrário daquele descrito em cada uma das sete diretrizes. Portanto, não há nada de bom para reter ali.

Respeito todas as crenças e procuro destacar sempre aquilo que nos une, e não o que nos separa. Sei também que a doutrina espírita recomenda o amor e a caridade, mas não se alinha em tudo à doutrina cristã. Se livremente escolhemos seguir a Igreja Católica Apostólica Romana, precisamos conhecer os fundamentos da nossa fé e sermos fiéis à doutrina e ao magistério da Igreja fundada por Cristo.

Por fim, peçamos ao Espírito Santo para que, em nosso combate espiritual diário, nos ajude a ter discernimento e nos liberte das falsas profecias, guiando-nos apenas pelo que vem de Deus para nos edificar, exortar e confortar.

Para rezar

Salmo 143 (144)

Ant.: *O Senhor é meu amor, meu rochedo. Em Vós é que eu espero.*

Bendito seja o Senhor, meu rochedo,
que adestra minhas mãos para o combate,
meus dedos para a guerra;

meu benfeitor e meu refúgio,
minha cidadela e meu libertador,
meu escudo e meu asilo,
que submete a mim os povos.

Que é o homem, Senhor,
para cuidardes dele,
que é o filho do homem para que Vos ocupeis dele?
O homem é semelhante ao sopro da brisa,
seus dias são como a sombra que passa.

Inclinai, Senhor, os Vossos céus e descei,
tocai as montanhas para que se abrasem,
fulminai o raio e dispersai-os,
lançai Vossas setas e afugentai-os.

Estendei do alto a Vossa mão,
tirai-me do caudal,
das mãos do estrangeiro,
cuja boca só diz mentiras
e cuja mão só faz juramentos falsos.

Ó Deus, cantar-Vos-ei um cântico novo,
louvar-Vos-ei com a harpa de dez cordas.

Vós que aos reis dais a vitória,
que livrastes Davi, Vosso servo;

salvai-me da espada da malícia,
e livrai-me das mãos de estrangeiros,
cuja boca só diz mentiras
e cuja mão só faz juramentos falsos.

Sejam nossos filhos como as plantas novas,
que crescem na sua juventude;
sejam nossas filhas como
as colunas angulares esculpidas,
como os pilares do templo.

Encham-se os nossos celeiros
de frutos variados e abundantes,
multipliquem-se aos milhares nossos rebanhos,
por miríades cresçam eles em nossos campos;
sejam fecundas as nossas novilhas.

Não haja brechas em nossos muros,
nem ruptura, nem lamentações em nossas praças.

Feliz o povo agraciado com tais bens,
feliz o povo cujo Deus é o Senhor.

Glória ao Pai, ao Filho e ao Espírito Santo.
Como era no princípio, agora e sempre.
Amém.

Oração

O Senhor Jesus Cristo esteja a meu lado, para me defender;
dentro de mim, para me conservar;
diante de mim, para me conduzir;
atrás de mim, para me guardar;
acima de mim, para me abençoar.
Ele, que vive e reina pelos séculos dos séculos.
Amém.

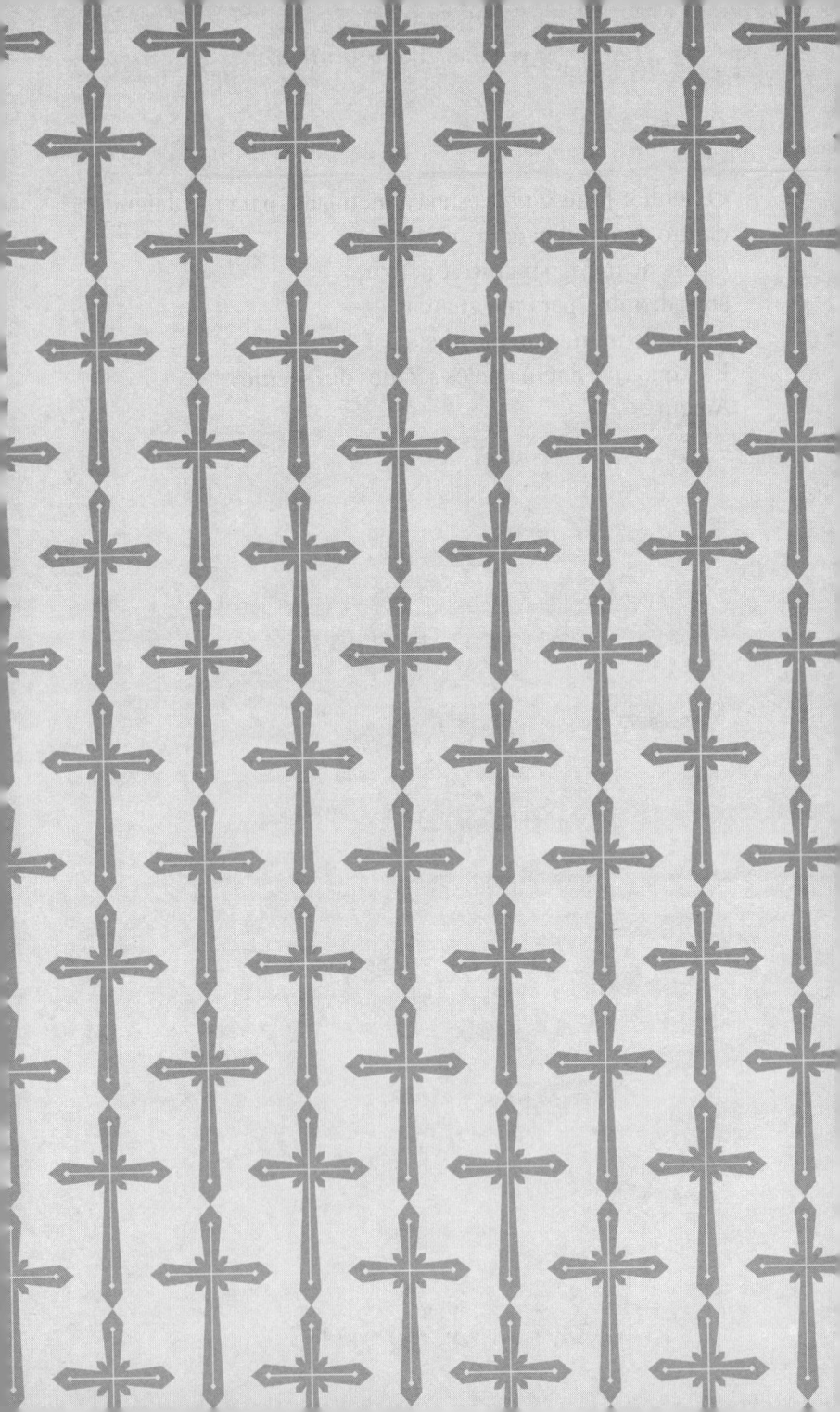

Conclusão

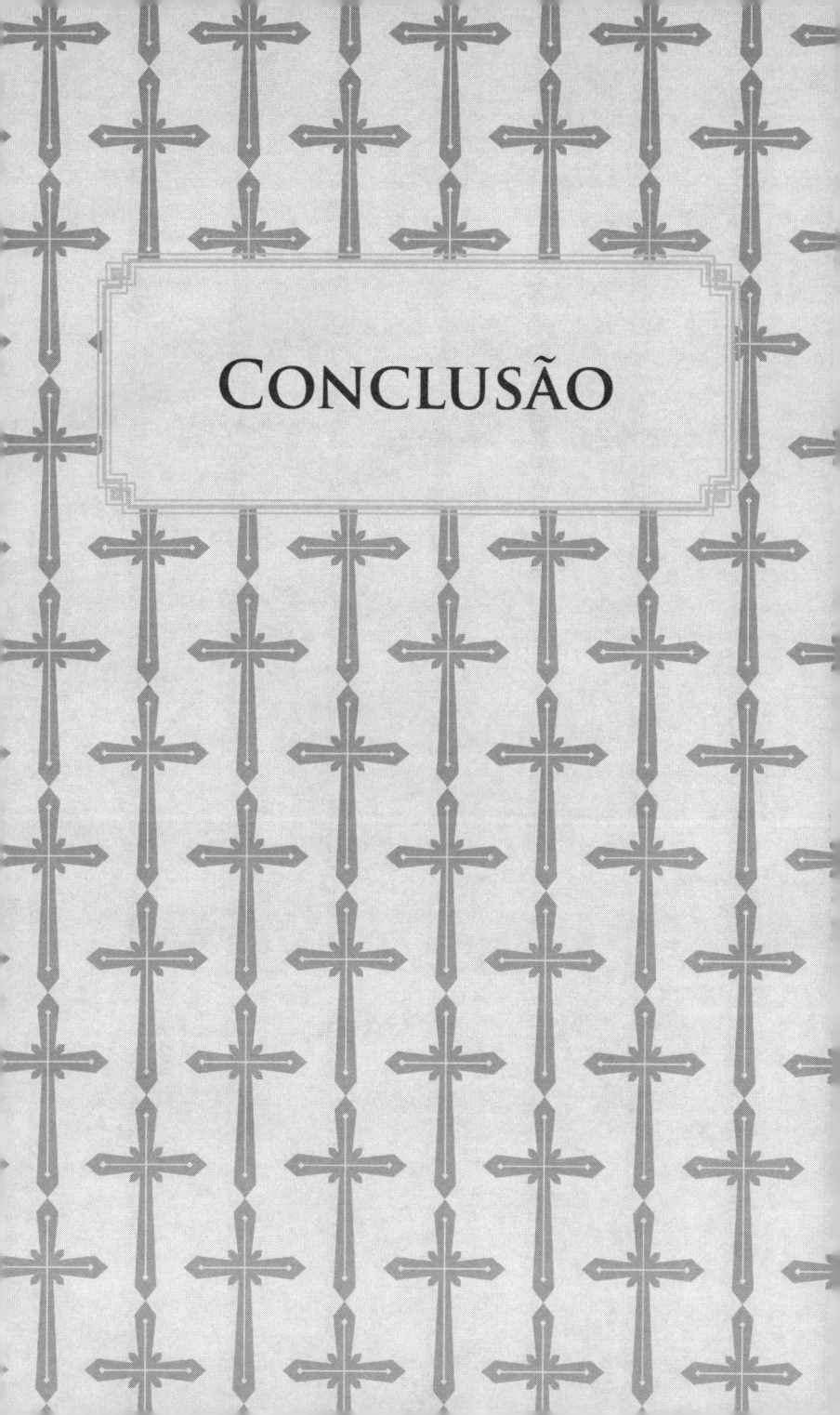

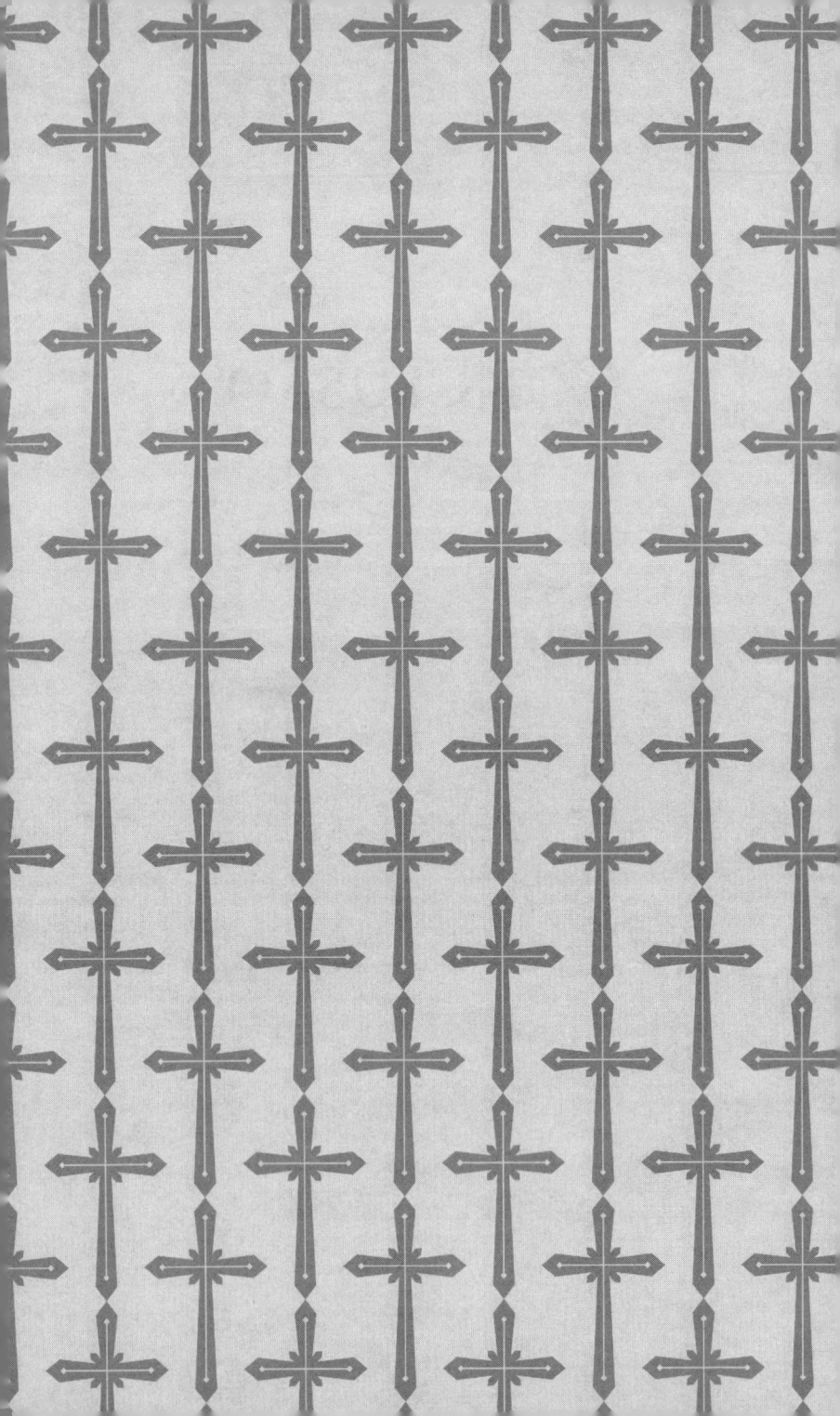

Os combates espirituais são uma realidade em nosso dia a dia, assim como o foram no passado e sempre o serão. Não se trata de isentar ninguém da sua parcela de culpa nos acontecimentos e transferi-la para Satanás. Isso seria muito fácil para nós, além de mais um engano. Além disso, Cristo já derrotou o Inimigo.

O que busquei transmitir neste livro foi que a vitória conquistada por Cristo deve ser consolidada em nossa vida pessoal. Talvez esse seja o tipo de combate mais difícil, pois trata-se de combater também a nós mesmos. Avaliar onde somos vulneráveis e admitir nossos pecados é como nos enxergar sem filtros, o que nunca é fácil. No entanto, nada é mais necessário para nos fortalecermos espiritualmente e permanecermos em vigilância contínua.

O combate espiritual tem dois lados: as verdades de Deus e as mentiras do príncipe deste mundo de pecado, Satanás. São Paulo alertou: "Receio, porém, que, como a serpente seduziu Eva por sua astúcia, vossos pensamentos se corrompam, desviando-se da simplicidade devida a Cristo" (2 Cor 11, 3).

Muitos não acreditam na existência do Diabo. Pensam que ele é apenas uma ideia e permanecem em cima do muro. Se você se encaixa nesse perfil, tenha cuidado! Talvez você não conheça a Parábola da Indecisão:

Havia um grande muro separando dois grandes grupos.
De um lado do muro, estavam Deus, os anjos e os servos leais de Deus. Do outro lado, estavam Satanás, seus demônios e todos os humanos que não servem a Deus.
Em cima do muro, havia ainda um jovem indeciso, que fora criado num lar cristão, mas que agora estava em dúvida se continuaria servindo a Deus ou se deveria aproveitar um pouco os prazeres do mundo. O jovem indeciso observou que o grupo do lado de Deus chamava e gritava sem parar:
— Ei, desça do muro agora! Venha pra cá!
Já o grupo de Satanás não gritava nem dizia nada. Essa situação continuou por um tempo, até que o jovem indeciso resolveu perguntar a Satanás:
— O grupo do lado de Deus fica o tempo todo me chamando para descer e ficar do lado deles. Por que você e seu grupo não me chamam nem dizem nada para me convencer a descer para o lado de vocês?
Grande foi a surpresa do jovem quando Satanás lhe respondeu:
— É porque o muro é meu.

Nunca se esqueça: não existe meio-termo. O muro já tem dono.
Agora, se você almeja uma vida plena de união com Deus, comece tomando a decisão de combater as próprias vontades, as escolhas equivocadas e as más inclinações. Se nos mantivermos ligados ao Senhor pela Sua Palavra, pela oração, pela vida sacramental e pela vigilância, teremos vida em abundância neste mundo...
... e o mais importante: também a felicidade eterna ao lado do Senhor.

Referências bibliográficas

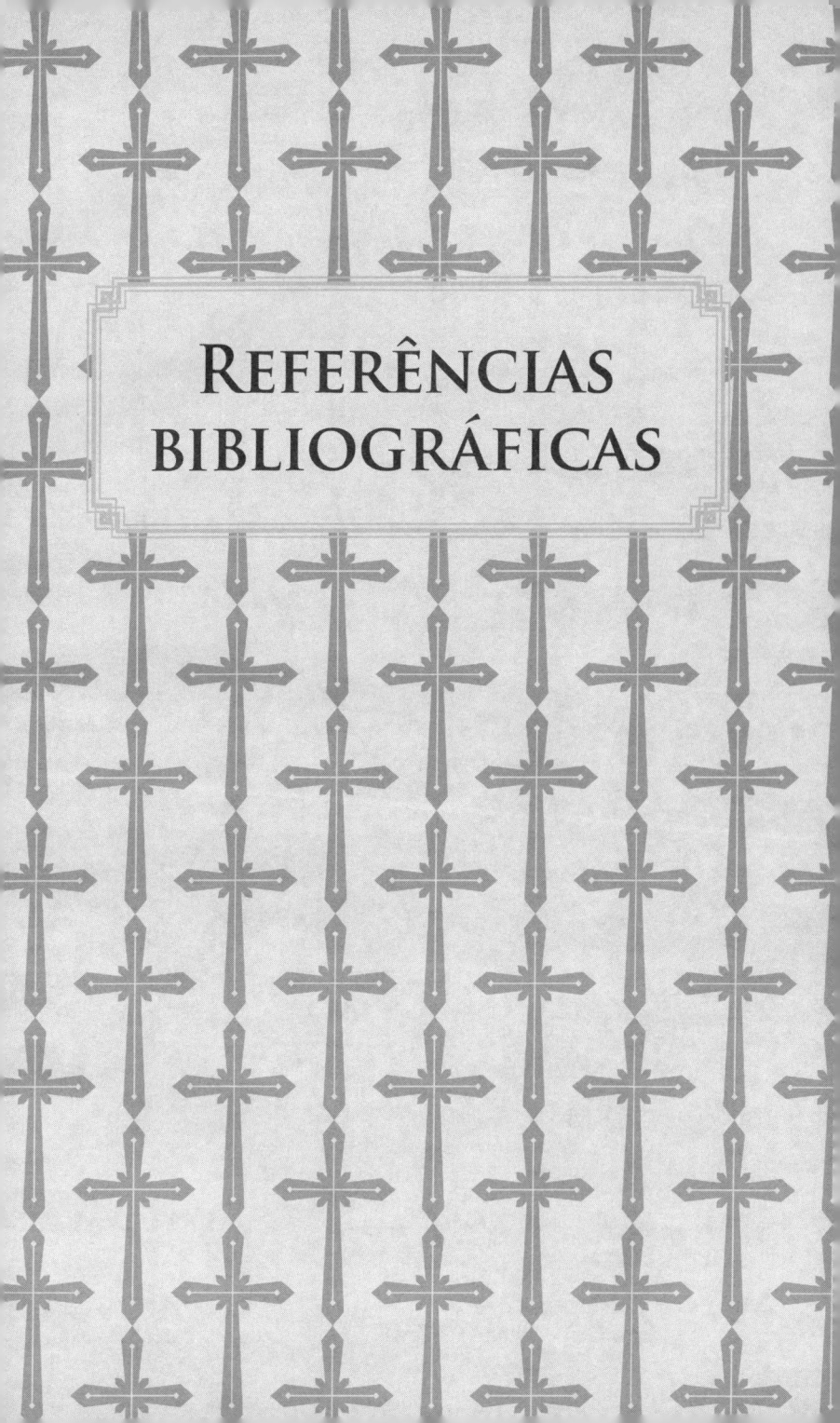

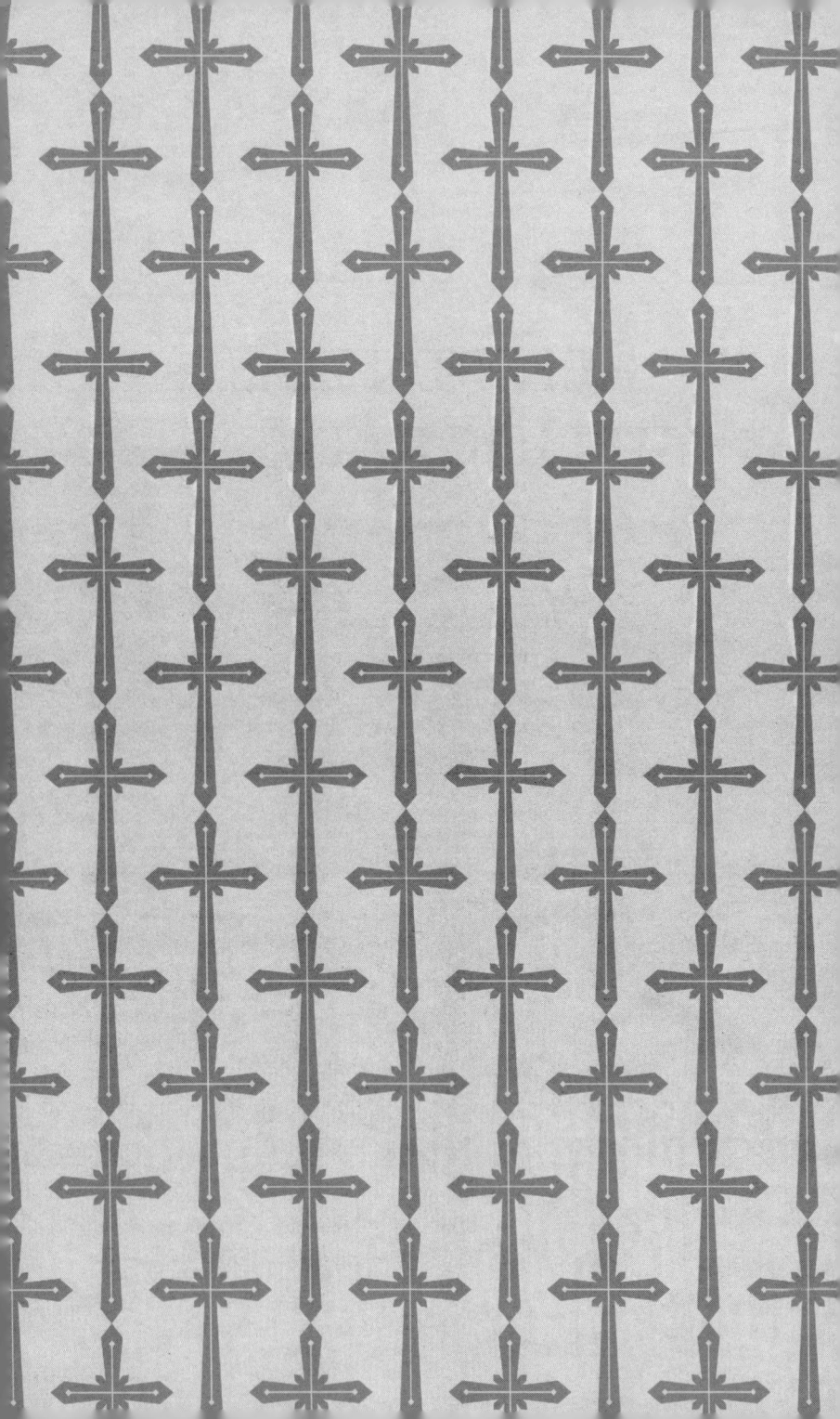

Bíblia de Jerusalém. São Paulo: Paulus, 2002.
Catecismo da Igreja Católica. Edição Típica Vaticana. São Paulo: Edições Loyola, 1999.
Gabriele Amorth. *Vade retro, Satanás!* São Paulo: Editora Canção Nova, 2013.
Oração das horas. Rio de Janeiro: Vozes, Paulinas, Paulus, Ave-Maria, 2000.
Papa Francisco. *O nome de Deus é misericórdia*. São Paulo: Editora Planeta, 2016.
_____. *Corrupção e pecado*. São Paulo: Editora Ave-Maria. 2013.
São Tomás de Aquino. *Sobre o mal*. Rio de Janeiro: Editora Sétimo Selo, 2005.
São Tomás de Aquino. *Suma teológica*, 5 vols. Campinas: Ecclesiae, 2016.
YOUCAT: *Catecismo Jovem da Igreja Católica*. São Paulo: Paulus Editora, 2012.

DIREÇÃO EDITORIAL
Daniele Cajueiro

EDIÇÃO DE TEXTO
Marco Polo Henriques

EDITOR RESPONSÁVEL
Hugo Langone

PRODUÇÃO EDITORIAL
Adriana Torres
André Marinho

REVISÃO
Raquel Correa
Suelen Lopes

CAPA
Rafael Brum

DIAGRAMAÇÃO
Filigrana

FOTO DE CAPA
Washington Possato

Este livro foi impresso em 2018
para a Petra.